哲学者への質問

NYの街角で「哲学者だけど質問ある？」と掲げて行われた哲学問答集

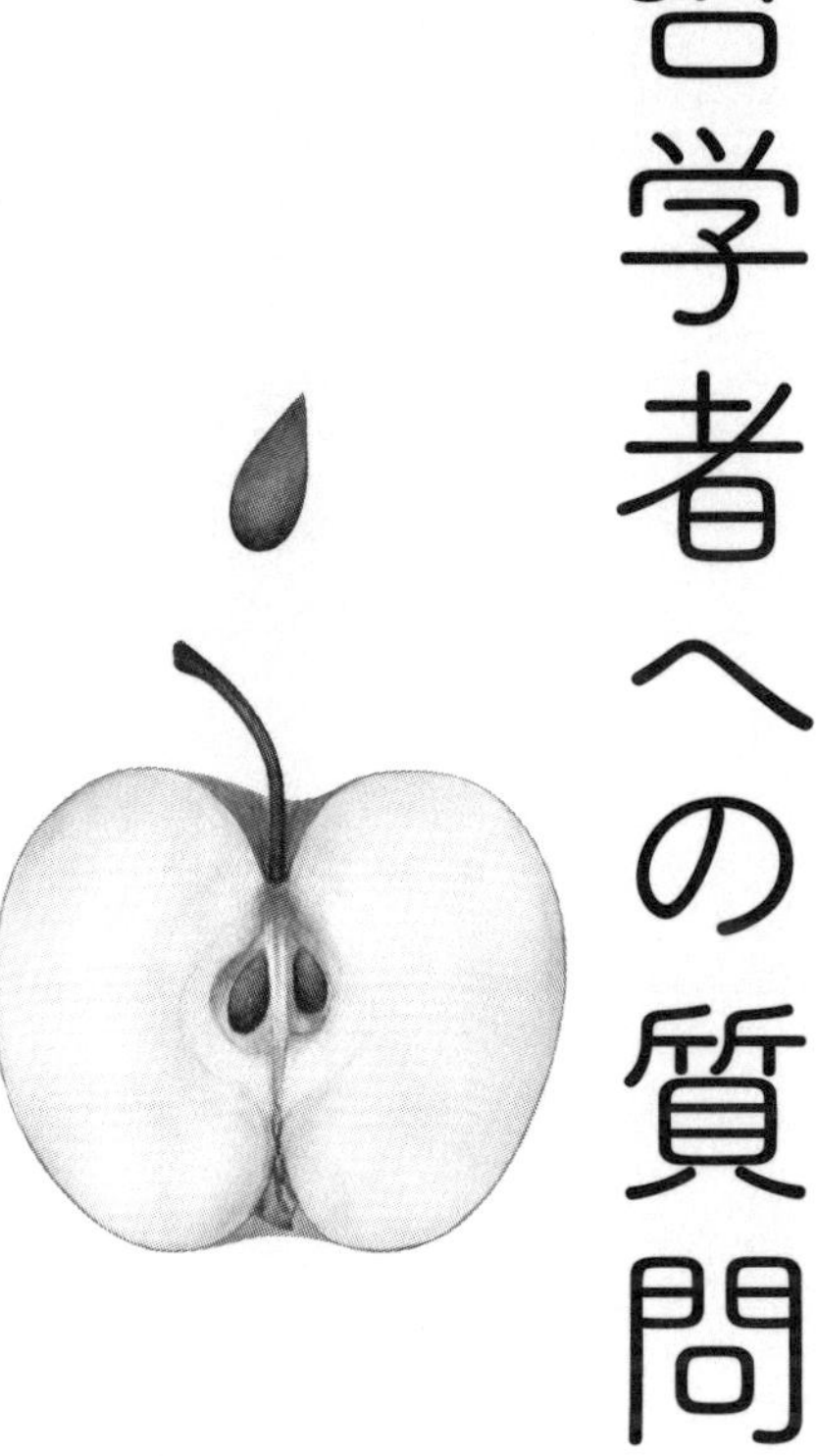

イアン・オラソフ
Ian Olasov
月谷真紀訳

サンマーク出版

質問してくださった皆さんに捧げる

日本の皆さんへ

9歳くらいの頃、『ターミネーター2』を観た後で、私は自分以外の人たちがロボットなのではないかという考えにひそかにとらわれていた。

4年生の教室に座っている私の隣ではタビサとクリスタルがおしゃべりしている（おしゃべりしているのは演技かも？）。でもあの子たちが一皮めくったら私と同じかどうかはわからない。二人の中身がアーノルド・シュワルツェネッガーのように金属骨格なんじゃないか、という不安もたぶんあっただろう。

しかしもっとわからないのは、**彼女たちが経験していることが自分とはたして同じなのか**だった。映画では、シュワルツェネッガーの視界はヘッドアップディスプレイになっている。目の中に小さな人間がいて、コンピュータ画面を見ているような感じだ。タビサとクリスタルにも、ものがそんなふうに見えているのではないか？

そのうちに、もしどこかにロボット工場があるなら自分の耳にだって届いているはずだと思いつき、私の関心は別の問題に移った。だが本質的な問題への本当に満足な回答はついに見つからずじまいだった。

他人になるとはどういう感じなのか、どうやってわかるのだろうか。

哲学を職業にしている人へのインタビューでは、なぜ哲学に興味を持ったのかが必ずと言っていいほど聞かれる。けれども私が聞きたいのは逆の質問だ。人が哲学に興味をなくすのはなぜなのか。

子供はみな、というか自分の時間がたっぷりある子供はみな、それぞれに気になる哲学的な疑問を持っている。あの時の私と同じ、他者の自我をどう認識するのかという問題ではなくても、神についてであったり、死後の生であったり、過去の自分と現在の自分は同じなのかだったり、目に見えない対象をどう認識するのかだったり、もう少し後になってからは、自分らしさとはどういうことか、公正な世界とはどういうところか、道徳的価値や芸術的価値の客観性と主観性だったり。

こうした疑問はどこへ行ってしまうのだろう。頭を悩ませるべきもっと大事なことが見つかるのだろうか（どうしてもっと大事なのか?）。難しすぎて飽きてしまったり、嫌になったりするのだろうか。人に言うのが恥ずかしいから? 日の目を見ることなく、人知れず闇の中を手探りで思いめぐらすうちに、疑問は息絶えてしまうのだろうか。

もちろん、こうした疑問を葬り去る必要はない。大事に育ててもいい。再びよみがえらせてもいい。かつて子供だった自分が頭を悩ませた疑問に相当するような疑問を、大人になってから新たに見つけてもいい。でもそれは、哲学に価値を認め、場を作る文化やコミュニティにいた方がずっと楽にできる。私が暮らすニューヨークにはそんなコミュニティがたしかに存在するが、探し出さないといけない。テレビやラジオや新聞に哲学者は登場するが、目につきにくい。

私が「哲学者だけど質問ある？」ブースを始めたり本書を書いたりしたのは、世の中の哲学の存在感をもう少し大きくし、文化をもっと哲学寄りの方向に促したかったのが大きな理由だ。

日本人の友人たちの話では、日本では事情が違うという。日本の文化に仏教が根付いており、仏教に哲学の要素があるおかげか、家庭や友人同士などで哲学について考えたり語り合ったりする土壌がアメリカよりはあるようだ。本当かどうかはわからないが、そうだとしたらいいことだ。

また本書はどこから読んでいただいてもかまわない。パート2「身近な質問」から読んでいただけると入りやすいかもしれない。

いずれにせよ、この本を手に取ってくださったあなたに、哲学はクールですばらしいと今さら説得する必要はたぶんないだろう。しかし他の人々と哲学について語り合える場所がまだないなら、ぜひ見つけてほしい。生活圏にある哲学カフェを探してみよう。地元の大学の哲学科が主催する公開イベントをチェックしてみよう。活発なオンラインコミュニティがあるユーチューブの哲学チャンネルかポッドキャストを検索してみよう。子供を育てていたり教えていたりする方は、教室の中や外で子供と哲学するための良質な教材をどうか探していただきたい。運が良ければ、あなたに合ったものが見つかるはずだ。

イアン・オラソフ

『哲学者への質問』 目次

パート1 壮大な質問

パート2　身近な質問

パート3 実は大事だった質問

おまけ

装丁　重原 隆
翻訳協力　オフィス・カガ
編集協力　鷗来堂
DTP　山中 央

はじめに

2016年4月のある土曜日の朝。肌寒く、雨模様で、周りじゅうに花が咲いていた。私はブルックリン公共図書館の中央分館の向かいにある、グランド・アーミー・プラザのファーマーズマーケットで折り畳み机を広げた。それから数時間、何人かの哲学教授と大学院生と私は「哲学者だけど質問ある？」と大書した垂れ幕の後ろに座って、人々が話しかけてくるのを待っていた。

やがて人々が話しかけてきた――神、大統領選、作家で思想家のアイン・ランド、魚をペットとして飼うこと、道徳教育、自由意志、運命、人生の意味などについて。そこで私たちは後日再び、そしてまた別の日に、さらにその後も数回にわたってブースを開設した。以来数年間、私たちはファーマーズマーケット、店舗、地下鉄駅、公園、ブックフェスティバル、ストリートフェアと、ニューヨーク市じゅうをめぐった。

どれほど実り多い経験だったかはとても語り尽くせない。私はありとあらゆる人種や世代や性別の、変わっていたり、人懐こかったり、偏屈だったり、知りたがりだったり、孤独だったり、どこかねじが外れていたり、元気いっぱいだったり、思慮深かったりする何千人もの人と、数秒間から2時間ほど向き合った。ブースを開設するたびに、新しい質問、新しい洞察、新しい物語が生まれた。

「哲学者だけど質問ある？」ブースを始めたのは、哲学がふつうの人々のニーズに応えるものであってほしかったからだ。専門の哲学者が取り組んでいる問題を一般の人々に知ってもらう機会をもうけ、背中を押すことも大事だが、哲学者が自分たち以外の人々の抱える問題について知る——そして手をさしのべる——機会をもうけ、背中を押すことはそれ以上に大事だ。

この本では、ブースを訪れた人々から受けた中でも特に手こずった数々の質問への答え、というか答えの一例を紹介している。*質問を見ると私たちの関心対象のとてつもない幅の広さがよくわかる。全編にちりばめた項目の終わりの灰色にアミをかけた部分には、各回のブースの様子と質問一つひとつを記憶に刻みつけてくれるちょっとしたワンシーンを描いた。たまに出てくる手のマーク☝の箇所は、架空の対話の相手のセリフだ。

本書はどこからどんな順番で読んでいただいてもかまわない。

哲学とは無縁の人々から自然発生した問いが、哲学者とのかけ合いの中で揉まれるうちに予想外の展開をした——ブースで起きた、躍動する哲学の魔法を紙面に再現するのは難しい。しかし、何がしかは本書に再現されている。これからお読みいただくやりとりから、

哲学を私たち一人ひとりに役立てる方法があること、哲学が日常と地続きにあると同時に、まったく違う世界に連れて行ってくれる力を持っていることに気づいていただけたらと願っている。

✣

この本に収録した答えをすべて私は信じている。反面、いくつかの答えは誤りだとも思っている。信じているのは、どれも誠心誠意出した答えだから。いくつかは誤りだと思うのは、哲学とは難しいものであり、私が自身の限界に対してそこそこ健全な自覚を持っているからである。

ということは……もうおわかりかもしれない。私の考えには矛盾がある。つまり、全部が正しいことはありえない。ふだん、自分の考えに矛盾があると気づいたら、私は矛盾がなくなるまで考えの見直しを行う。なぜなら考えとは推論の道具であり、矛盾した情報を

＊多少は答えになっているだろう。質問の中には訪問者から直接なされたもの、訪問者との会話の流れで出てきたものがある。

道具として推論するとろくな結果にならないからだ。しかるに考えのすべてが正しいことはありえないとしたら、そのうちの少なくとも一つは間違いであるに違いない。だが、私が過去に立ち戻って仕事の検証をしたとしても詮無(せんな)いことだ。そうしたとしてもやはり、私が何らかの考えを述べ、どこかできっと誤りをおかしたはずだと認めたくなるには変わりないからだ。私たちは矛盾を抱えて生きている。

うまい具合に、というか少々うますぎる具合に、この矛盾にはスッキリと明快な解決策がある。その解決策とは、考えを種類分けすること。つまり「考えには１００パーセント確信しているものと、ある程度確信しているものがある」とするのだ。矛盾する複数の考えを１００パーセント信じている場合は、検証する必要がある。しかし複数の考えを高い確信をもって信じているだけなら、そのうちの一つが間違いであると高い確信をもって信じることも可能だ。*

ここからいくつか重要なことの説明がつく。

第一に、多くの哲学は私たち自身の考えの矛盾を突くことから生まれる。推論によって矛盾を脱する方法が見つかる場合もあるが、両立させる落としどころを見つけなければならない場合もあるだろう。

第二に、私はこの本に書いたことを信じているが、１００パーセント信じてはいない。嘘をつきそうになっているとか慢心しかけていると感じたら、自分がやりたいのは読者に哲学的な問いへの正しい答えを示すことと同じくらい、有意義な哲学的問いを触発することなのだ、と思い出すと気が楽になる。

第三に、「はじめに」に記したこの矛盾をめぐる議論と同じく、本書の諸問題をめぐる議論はもっと長くもできたはずだが、ごく短い文章にとどめている。私が考慮しなかった妥当な反対意見、追求しなかった別の仮説、目をつぶった詳細は枚挙にいとまがない。しかし私のアイデアに対してはあなたの方が反対意見や異論を思いつきやすいのだから、私があなたになり代わってそれをする必要がどこにあるだろう？

ともかくも、この本はおおむね楽しく、退屈せずに読まれることを願っている。

＊これをわかってもらうには、考えを確率と同じように想像してみてほしい。個別の物事１００件を95パーセント信じるという場合、そのうち一つが間違っていると99パーセントの確率で信じていることになる。

第四に、すでに述べたように、この本の大部分は借りてきた内容である。私が本書で言っていることの多くは、すでに誰かが言ったことだ。気軽に読み進められるよう、出所と参考文献はすべて巻末にまとめた。

最後に、気軽に読める工夫を施したことによって、哲学が嘘みたいに簡単に見えるという印象を与えるかもしれない。はっきり言っておこう。哲学は難しい――疑いや行き止まりだらけだし、確実な根拠などどこにもなく、常に無意味や無関連性とすれすれのところにある。しかし**哲学は難しい<ruby>だけ<rt>、、</rt></ruby>だ。不可能ではない。**

パート1

壮大な質問

1.「哲学」って何？

授業の初日、学生たちに哲学がどんなものかつかんでもらおうとする際、私は哲学的な問いの例をいくつか示す。すると必ず「ああ、本当の答えが出せない問いのことなんですね」みたいな発言が出てくる。しかしこういった決めつけに私は抵抗するようにしている。まず、かつて哲学と考えられていた問い（例えば物質は無限に分割可能か）の多くは科学の問いになった。この本に収録した問いだってやがて科学の問いにならないとも限らない（いくつかはすでに科学に分類されると私は思っているが、科学者自身はなぜかそれらについて発言しようとしない）。

しかしこれにはそれなりの理由がある。専門の哲学者の間でも、世の中全体でも、哲学的な問いへの正しい答えについて一致した見解がないからだ。そして一致した見解がないのは、人々がとことん考えを尽くしていないせい（だけ）ではない。場合によっては、最高の理性と学識のある人々の間で答えがかみ合わないからだ。

哲学的な問いとは何ぞやについて、ぼんやり示しているようで正解とは言えないもう一つの考え方は、「哲学者だけど質問ある？」ブースで起きる珍現象に表れている。いつも、一日のどこかで、看板を見た人が私たちに星占いとか夢判断とか体外離脱とかジョン・F・ケネディ（JFK）暗殺の真犯人についての質問をもちかけてくるのだ。私が哲学とみなす質問に話を戻すにはなかなか苦労する（「星占い人気からわかる、人生におけるストーリーテリングの役割とは何か？」「どうすれば夢判断を正しく行えるか？」「陰謀論を信じるのが合理的なのはどのような場合か？」）。しかし、いったいなぜ人はこうした問いを哲学だと考えるのだろうか。概して哲学者というものが、自分の仕事を一般の人々にどう伝えるかあまり考えてこなかったのも一因だろう。

しかし、よそでは真面目にとりあってもらえないことについて考えを聞かせてもらえるのが哲学だと、人々が正しく直観しているのも理由だと私は思う。哲学上の議論が往々にして人為的な、もしくは日常とかけはなれた思考実験に立脚しているという意味で、これは当たっている。

〈ここで脱線〉私の好きな思考実験をいくつか紹介しよう。

トロッコ問題：トロッコが向かう先の線路に5人が縛りつけられており、あなたは分岐切り替えレバーで進路を変えることができる。しかし、切り替えた進路の先にも一人がいる場合、実行すべきか？　トロッコが5人に向かって暴走しているのをあなたが目撃し、一人の大男を進路に突き飛ばせばトロッコが止まる場合、実行すべきか？　この二つの問いの答えは同じであるべきか。異なるとしたらそれはなぜか。

無知のヴェール：あなたが自分の暮らしている社会について、自分がその社会で何者であるか以外は、知りたいことをすべて一時的に知っているとする。社会の基本的な法律と制度をあなたはどのように変えるだろうか。特権的な交渉力を私益のために行使できないとしたら、あなたが加える変更は必然的により公正な社会をもたらすだろうか。

双子地球：私たちの世界と一見そっくり同じなのだけれど、そこで水と呼ばれているものがH_2Oとは別の物質である世界で、「水」が意味するものは同じなのか。

見えない庭師：存在を確認できない庭師が手入れしている庭と、誰も手入れしていない庭に違いはあるのだろうか。

帰納の新しい謎：英語に「グルー」という単語があり、語義が「2030年以前に初めて観察された緑（グリーン）である、または2030年以前に観察されていない青（ブルー）である」だとしたら、あなたが見たことのある草の色はすべてグルーであるという事実は、すべての草の色がグルーだと信じる理由になるだろうか。

ゲーデルとシュミット：あなたがクルト・ゲーデルと呼んでいる人物について信じていることのすべてが、実はあなたが聞いたことのないシュミットという人物に該当するとしたら、あなたはゲーデルについて誤った考えを持っていることになるのだろうか、それともシュミットについて正しい考えを持っていることになるのだろうか。

知識論法：ある人物がそれまでの人生をずっと白と黒の世界で暮らしてきたが、物理学と心理学と神経科学上の色の概念はすべて知っているとする。もし初めて赤いリンゴを見たら、この人物にはわかるだろうか。

停止する世界：ある宇宙が三つに分かれており、一つ目では毎年5分間、外部から完全に停止するように見え、二つ目では2年に一度5分間停止するように見え、三つ目では3年に一度停止するように見える。では6年に一度はこの宇宙で5分間すべてが停止した状態になるのだろうか。

浮遊男：五感をまったく持たずに生まれたとしたら、それでも自分を意識できるだろうか。

ギュゲスの指環（ゆびわ）：はめると姿が見えなくなる指環を持っているとしたら、あなたは悪人になるだろうか。もし何をしてもばれないなら、盗んだりズルをしたり人の後をつけたりするなどの自分勝手なふるまいを何によって思いとどまるだろうか。

デネットの「私はどこ？」：もしあなたの脳が神経終末一つひとつの先につけられた小さな無線機を通じて体を遠隔操作しているとしたら、あなたが存在するのは脳と体のどちらだろうか。

ゲティア問題：誰かが知らぬ間にあなたの電話を無音にしており、近くにある別の電話の呼び出し音が聞こえているが、まったくの偶然でこの時実際にあなたに電話をかけている人がいるとしたら、あなたは自分に電話がかかってきたのがわかっていることになるだろうか。

根源的翻訳：知る限り自分の言語とはまったく関連性のない言語を話す人物と一緒にあなたがいたとして、その人物がウサギを指して「ガヴァガイ」と言った場合、「ガヴァガイ」の意味が分離されていないウサギの部位でもなく、ウサギを時間分割した断片でもなく、ウサギ性でもなく、ウサギであることはどうやってわかるだろうか。

〈脱線終わり〉

哲学者の間で常識になっている結論（意識体験は存在しない、時間の経過は幻想だ、何かを知っている人など誰もいない）は私たちが日常生活で持ちたがらない考えだという意味でも、これは当たっている。哲学では、少なくとも関連性がある場合、このような考えを単に却下するだけでは不十分だ。このような考えについて推論しなければならないのだ。

うまく成り立つ哲学の定義はこうだ。「ある問いの検証に使うべき手法やエビデンスの根拠について意見が一致していない場合、それは哲学の問いである」。私が思うに、これは本書で論じた哲学の問いすべてにあてはまる。なぜ哲学の問いには答えがないと人々が感じているのか、なぜ問いが時代につれ哲学ではなくなっていくのか、なぜどんなテーマについても哲学の問いができるのか、なぜ哲学ではオープンな発想が大事な美点なのかも、これで説明がつくだろう。

とはいえ、これだって正解とは言いきれない。論理学と哲学の歴史にはおおむね確立した研究手法があり、それがまぎれもなく哲学の一部となっているが、一方で物理学や歴史学や心理学の難問の研究法については意見の一致が見られない。しかしこれが私にできる精一杯の定義だ。哲学とは何ぞやについてもっと上手な説明の仕方をご存じであれば、メールください。

「哲学者だけど質問ある？」ブースを開設した私たちは、哲学の問いを入れたボウルと思考実験が書かれたカードを入れたボウルとキャンディのボウルを用意した。ある暑い夏の日、ブースの終了間際に、キャンディのボウルだけが完売御礼となった。ブースを訪れたある人が空っぽになったキャンディのボウルを見て「これ、哲学の喩え（たとえ）か何かですか？」とたずねた。耳の痛い一言だった。

2. なぜ「無」ではなく「存在」があるの？

幼児の頃、あることで癇癪（かんしゃく）を起こした忘れられない記憶がある。朝食に目玉焼きが食べたかったのだが、私は目玉焼きをスクランブルエッグというのだと思い込んでいた。それでスクランブルエッグが食べたいと言い、スクランブルエッグが出てきて、私は泣きわめいた。両親が自分の目玉焼きを譲ってくれても、私の癇癪はおさまらなかった。私が求めていたのは目玉焼きだけではなかった。目玉焼きがスクランブルエッグという名前でなければならなかったのだ。私は、たぶんこの時に限らないが、両親にかなえられる以上のことを要求していたのだった。

さて、なぜそもそも存在があるのか。表面上は因果関係の説明を求めているように見える。だから質問を、最初のものを存在させる原因となったのは何かと言い換えることができるだろう。最初のものがみずから原因になった、そのものの後から来た何かが原因になった、いずれも論理的には可能だ。しかしこれらの可能性はひとまず除外しよう（一つの理由は、これらの可能性が因果の概念を拡大しておそらく破綻させてしまうからだ。もう一つの理由は、そのもの自身が存在の原因になりえたり、後の出来事が存在の原因になりえたりするなら、なぜそのようなことが常に起こらないのか不明だからだ）。とすると、残された唯一の直接的な答えは、最初のものの前に何かがあって、最初のものが存在する原因になったということになる。しかしこれは不合理だ。最初のものの前に何かがあったのだとすれば、それは最初のものであるはずがない。「ビル・クリントンの三男の名前は？」と聞くのに等しく、この質問に答えがないのは、難しい質問だからではなく、前提が誤っているからだ。

もちろん、世界の始まりは因果関係では説明がつかないよ。でも私が関心を持っているのはそれじゃない。

たしかに、因果説明だけが説明ではない。例えば、数学的な事実（2＋2＝4のような）は、（ペアノ算術の公理のような）*直観的公理から人間にわかりやすい方法で演繹（えんえき）的に推論することによって説明できる。特殊な自然法則（ケプラーによる惑星の運動法則のような）は、もっと一般的な自然法則（ニュートンによる重力の法則と運動の法則のような）から必然的に生じる結果であると示すことによって説明できる。ある行動や信念を、それを肯定する理由から説明することもできる。ある有機体の特徴をその機能という観点から説明することもできる。あるいは、理解しづらい考えをなじみのある言葉に言い換えたり、身近な類比や例を使ったりして説明することもできる。しかしこの問いは明らかに、ものが存在するという事実を数学的原理や自然法則から演繹的に推論したり、意味がわかるよう言い換えたり——そういった類いのことを求めているのではない。つまり説明を求めているのだが、それは誰かが聞いたことがあったり認識できたりする類いの説明ではないのである。スクランブルエッグという名の目玉焼きを求めるのと同じく、誰にもかなえられないものを求めているように思われる。

とはいえ、**そもそも何かが存在するという事実が、他の物事を説明する方法では満足に説明できないとすれば、興味深いことだ。**私たちをこの結論に導いてくれるだけでも、この問いは問う価値がある。

最後に、説明の一つの効用は人々に安心感を与えたりわかった気にさせたりしてくれる

＊ここの論旨を理解するためにペアノ算術のしくみを知る必要はないが、詳しくは211ページを参照されたい。

ことだ。私たちはわけがわからなくなったり途方にくれたりした時に説明を求める。この問いは単に、**事物が存在するという事実を理解した気にさせてくれる何かを求めているのかもしれない。だとしたら、その問いにたった一つの正解などない。**それで隣の人が理解した気になったからといってあなたも同じとは限らない。当然ながら、ここで何があなたをわかった気にさせるかなど私にはわからない。誰がこの本を読んでいるか私は知らないのだから。あなたが自分でそれを見つけなければならない。

今回の議論では、このような文脈で持ち出されがちな神に触れるのを意図的に除外してきた。神がこの問いに答える役に立つとは私は思わない。理由の一つはすでに述べた通りだ。だが神を除外した大きな理由がもう一つあって……。

3.「神」は存在するの？

神（あなたが一神教を信じていない場合は神々）は世の最善を願う全知全能の存在だ。そんな存在がいるなら、世界は完璧であるはずだ。だが世界は完璧ではない。したがって神は存在しない。😫😫😫

☝世界が完璧でないのは同意するよ。でも神が世の最善を願う全知全能の存在だなんて誰が言った？　そんな神の概念はこの論証に都合がいいようにひねり出したものに思える。いずれにしても、それは私の神じゃないね。

おっしゃる通り！　神を語る時に思い浮かべるものは人によって違う、これが問題の一部だ。

しかし抜け道はある。神について語る時に（ほとんどの？）人が思い浮かべるものが何だろうと、人は崇(あが)めるだけの理由がある何かについて語っている。では崇めるとはどういうことか。

何かを崇めるとは、自分自身と自分の判断よりも、崇める対象をはるかに高く評価し信頼するがゆえに、その対象に自分の意志を完全にゆだねる、だいたいそんな意味だ。*

しかしこのように何かに自分の意志をゆだねるのははたして合理的だろうか。まず、これはある意味、尊厳を損なうことだ。また、間違った対象に意志をゆだねるといういかにもありがちなリスクをおかしている。例えば、人々が間違った神を信じた例は歴史上に二つある。それに、かりに神が完全に信頼に値するとしても、あなたはそうではないのだから、神の信頼性に対する自分の判断を信じて意志をゆだねてしまうべきではない。したがって、何かを崇めるのは不合理である。したがって、神は存在しない。

救いのあることを言っておこう。それでもキリスト教会・モスク・寺院・ユダヤ教会などに通って宗教儀式に参加することには意義がある。**神が存在するか否かという問いは、宗教の実践が間違っているかどうかという問いではない。**コミュニティ、物語、荘厳な儀式、それぞれの儀礼にちなんだ食べ物や音楽のある祝日、いずれも神が不在だからといって価値がなくなるわけではない。

だって、――この先閲覧注意――サンタさんがいないとわかってからもクリスマスは楽しいでしょう？

一人のティーンエイジャーが、いかにもしぶしぶといった様子の母親をともなってブースにやってきた。彼は神は存在するかとたずねた。私はここに書いた答えを1行か2行ほどにまとめて答えた。ティーンエイジャーはにやりとし、母親はショックのため息とも悲鳴ともつかない声をもらした。それをあんなに面白がったのは悪かったかもしれない。

＊これは明白ではない。崇拝は明らかに対象を非常に高く評価する一つの形だが、なぜそこに服従が入ってくるのだろうか。それには、崇拝が対等な者同士の関係ではないことを、何とか考慮に入れていただかなければならない。私がパートナーをどれだけ愛しているにしても、彼女を崇拝しているとと言うのは隠喩か誇張にすぎない。服従という観念は、崇拝という観念に組み込まれた本質的で不変の上下関係をとらえているように思われる。

4.「人生」の意味とは？

私は知らない、しかしだからといって何の問題もない。

創造論が正しくて、人間が地球上に現れたのは宇宙人の畜産業者のしわざだとわかったとしよう。

彼らはできるだけ早く戻ってきて私たちを食べられるよう、私たちが地上で繁殖することを望んでいる。人間の数が早く殖えるほど、人肉の味が良くなるほど、望ましい。

この話が本当なら、あなたの人生、そして人類全体の生には明確な目的があることになる。宇宙人の食料になるためだ。でも、だったらどうなの？　自分が宇宙人の食料になるための存在だと知ることに特段の慰めや益はないだろう。たとえあなたが宇宙人の食料になるはずの存在だとしても、あなたが宇宙人の食料になるべきだということにはならない（むしろ、宇宙人が人類を食べるのを阻止するために何とかすべきだ）。要するに、かりにあなたの人生にたしかに意味があったとしても、その意味を知ることには、感情の上でも現実的にも、私たちが概してあるように思い込んでいる意義はない。

では、感情の上でも現実的にも意義があるのは何であるはずなのか。人は生活の現状に不満があったり、これまで追い求めてきたキャリアや人生計画が間違っているのではないかと疑問を感じたりしている時に、人生の意味を考えがちだ。人生の意味は、それが何であれ、このような状況にある人々に指針を与えるとされている。

ではその指針はどこで得られるのだろうか。探す先の一つは仕事の満足に関する心理学研究である。少なくとも一部の研究は、他人と関われて、裁量の幅が大きく、その裁量権を使って特殊技能を活かし、自分が世の中を良くする組織のために働いていると思える時、人は仕事に満足感を覚えやすいと示唆している。しかしそれではあなたにとって不十分かもしれない。

もしあなたが自分の仕事が多少は世の中のためになっていると思っているが、おおいにためになりたいと願っているのであれば、（a）それは実に立派なことであり（b）おめでとう！　あなたは効果的利他主義者です。この言葉をググってみてください。

5. 人間に「自由意志」はあるの？

おかしな質問だ。哲学上の問題が多くの（この悩みを持っている以外の点では）ふつうの人々を眠れなくさせる場合、通常それは平易な言葉で語れる問題である。* しかし自由意志の問題は専門用語、すなわち「自由意志」という言葉を中心に展開する。問いへの答え方は「自由意志」をどう定義するかで大きく変わってくる。いくつか考えられる定義とそれぞれが導き出す答えをここに示そう。

【定義1】

自由意志とは選択できる能力のことである。

イエス、私たちは常に選択しているから私たちには自由意志がある。話好きの主婦がスーパーに行くとする。他の買い物客との会話に夢中になっている間に、ピーナッツバターの瓶がカートに落ち、彼女は気づかないままレジでピーナッツバターの代金を払う。この人は自分が買った銘柄のピーナッツバターを選択したわけではない。少し後に、目利きの主婦が同じスーパーにやってくる。彼女は棚のピーナッツバターを全種類じっくり眺め、価格、成分その他もろもろの観点から比較する。そして一つを手に取り、カートに入れると、まっしぐらにレジに向かう。目利きの主婦は自分が買ったピーナッツバターをたしかに選択した。

話好きの主婦と目利きの主婦には重要な違いがあり、私たちはその違いを、後者だけが選択したという点にあるとしている。もし自由意志が選択する能力だけをいうなら、自由意志を否定することは、話し好きの主婦と目利きの主婦にその違いがないという意味でしかなくなる。それはおかしい。

なるほど、じゃあ自発的な行動と非自発的な行動の根本的な違いは何？

＊もっとも、考えれば考えるほどこれはどうも違うように思われる。「哲学者だけど質問ある？」ブースには、主観性、客観性、二元論、規範性など専門用語っぽい質問や学問的な質問がたくさん持ち込まれる。なぜかは謎だ。哲学について語るとは哲学者が考えてきた事柄について語ることだと思われている、という根の深い問題の表れなのかもしれない。

わからない。自己統制感の有無だろうか。行動の原因となった推論か情報処理の有無だろうか（だとしたらどんな推論ないし情報処理だろうか）。意識的に行動をするかどうかだろうか。本心からその行動をしたいと欲しているかどうかだろうか（本心とは何か？）。今挙げた複数の要因の組み合わせか、それともまったく別の何かだろうか。どの答えもありそうだから、特定の見解を持たずにおくのが賢明に思われる。

【定義２】自由意志にもとづいて行動すれば、別の行動を取っていた可能性がある。

これもイエス。ふたを開けてみればひょっとして、どんな行動がありえたかについての常識的な考えが、どういうわけか根本的に間違っているかもしれない（そもそもなぜ私たちは、どんな行動がありえたかについて常識的な考えなど持っているのか。なぜ現実のありように反して、ありえたことなど気にするのか）。しかしその常識を当然の前提にできるとすれば、別の行動を取れたはずの状況はたくさんある。今朝私はグレーのシャツを着たが、黒いシャツ、赤いシャツ、その他どんな色のシャツを着ることもできたはずだ。この観点からすると、私たちの行動は特別なものではない。昨日は雨が降ったが、それほどひどくはなかった。もっとひどくなっていた可能性もありえた。今コインを投げたら裏が出た。表が出ていた可能性もある。

私たちが別の行動を取る可能性がまったくなかったとしたら、私たちの行動は雨やコイン投げなどの自然現象とは異なる方法で決まっているか、もしくは物事がどうありえたかについての私たちの考えそのものが間違っている。なぜそんなことを考えるのだろうか。

【定義3】自由意志とは、私たちの体や環境に適用される物理法則によって決定されない方法で行動する能力である。

ノー、私たちに自由意志はない。私たちの体は物理法則に従うからだ。しかしさっきと同じ疑問をまた繰り返すが、自分の体が物理法則に反することを望む理由は何なのか（人が空を飛びたいなどと望む理由はわかるが、これは別問題だ）。

でもほら、量子的ランダム性とかいうやつだよ！

たしかに、たぶん私たちは実際に起きることが自然法則による必然ではない世界に生きている。しかしたとえ自然法則が確率をもたらすだけで、あれかこれかの結果を決定するわけではないとしても、あなたの行動は無機物の「行動」とほぼ同じように物理法則と関係している。

【定義４】自由意志とは、あなたが自分の行動に道徳的責任を負うのが妥当とされる根拠である。

イエス、人に自身の行動に対する道徳的責任を求めるのは時として妥当だから、私たちには自由意志がある。非難するにしろ、褒めるにしろ、私たちはいつも当人に責任があるとしている。こういう世間の慣行が少なくともたまに、もろもろを考慮すると最善とはいえない結果になったとすれば、それはまれな偶然なのだろう。

しかし、私たちの行いが物理的ないし生物学的な原因から起こるという考えを進展させると、悪い行いは技術的な問題として扱われるようになるべきだと私には思われる。人に責任を求めるかわりに、改善するよう教え諭したり、薬物治療したりするようになるはずだ。

もし万が一にも悪い行いは技術的な問題にほかならないという境地まで達したら、私たちは自由意志を失うだろう。それはそんなに悪いことだろうか。

6.「自分の頭の中以外の世界」のことがどうしてわかるの？

自分の頭の中の世界がわかっているとあなたはなぜ思うのだろうか。子供の時に住んでいた家が路上からどう見えるか、できるだけありありと想像してみてほしい。想像の中でどれだけの情景が見えるだろうか。色はどれだけ見えるだろうか。細部はどこまで見えるだろうか。私と同じなら、今した質問に答えるのはきわめて難しいはずだ。「自分の内面生活を周囲の世界について知っている平凡な事実以上によくわかっている、外界を知るとは知覚のヴェールを突き抜けることだ」という確信は揺らぎ始めるのではないだろうか。

しかし、今現在のあなたの経験について、確実にわかることがあり――例えば、あなたは目の前のページの上にのたうつ文字を見ているように思われる――、どうやってこの経験についての知を外界についての知にできるかを知りたいとする。この経験は通常、ページから光が反射され、あなたの目の表面に届いた後、目が神経系を通じて電気信号を送ることによって起きると私たちは考える。しかしこの経験は別の方法によって発生した可能性はないだろうか。幻覚の可能性はないか。本を眺めている夢を見ている可能性はないか。マッドサイエンティストがあなたの脳に直接の刺激を与えてこの経験を生じさせている可能性はないか。

可能性はある。あなたはこれらの可能性を決定的に排除することはできない。いずれもあなたがこれまでの人生でしてきた経験の流れと論理的に整合するからだ。

しかし、たとえこれらの可能性を決定的に排除できないとしても、**あなたの五感というエビデンスを出発点として、あなたは世界に関する自分の常識的な考えの大部分は正しいと合理的に確信できる。その答えは、簡単に言えば、仮説推論（アブダクション）である**（同音異義語で「拉致」を意味する方のアブダクションではない。そちらの意味はほぼ確実に答えではない）。演繹は典型的な論理学の授業で学ぶ推論の方法だ。例えば、「ソクラテスは人間である。人間はすべて死ぬ運命にある。したがって、ソクラテスは死ぬ運命にある」。演繹的推論の結論から前提以上の情報は得られない。それに対して、帰納は典型的な統計学か確率論の授業で学ぶ推論の方法だ。例えば、ある無作為標本に含まれる全成人の平均身長は5フィート7インチ（約170センチメートル）である。したがって、世の中の全成人の平均身長は、多少の誤差はあれ5フィート7インチである。この帰納的推論の結論には前提より多くの情報が得られる可能性があるが、結論は前提と同じ語彙で述べられる。もしあなたが提供するエビデンスが人々の身長についてであれば、結論も人々の身長についてになるだろう。

仮説推論――最善の説明への推論ともいう――は違う。子供の時、私は昔長兄が使っていた部屋に移った。まだ慣れない部屋で、クローゼットの中をのぞいたら壁に赤いクレヨンで「アインのバカ」と書きなぐってあった。さて、これを書いたのが母だった可能性はある。しかし母は私を嫌ってはいないし、私の名前を書き間違えはしないし、あれは母の筆跡ではなかったし、90年代当時にしてもクレヨンを使うには母は少し年がいっていた。クローゼットの壁にあの言葉が書かれた理由の説明は、兄が怒りにまかせて書きなぐったから、の方がずっとおさまりがいい。例は他にも考えられる。朝、歩道が濡れているのを見て前夜に雨が降ったと推論する、誰かに名前を呼ばれて相手が自分の注意を引こうとしているのだと推論する、金星が満ち欠けするという事実から太陽をめぐる金星の軌道は地球よりも内側にあると推論する、などだ。帰納および演繹とは異なり、仮説推論は、ある語彙で表される考察からその考察についてまったく別の語彙で表される説明に推論を導くことを可能にする。

他人からその人の見たこと考えたこととして聞いたエビデンスも含め、私たちが自分の知覚体験から得るエビデンスをどう記述するにせよ、そのエビデンスの最も優れた説明は、ある一瞬に私が知覚しているかどうかとは独立して存在する、ほぼ安定した対象に依拠するだろう。例えば、なぜ私は目の前のノートパソコンの画面を見ているように思われるのか。なぜ私が入力しているように思われる言葉がまさしくその画面に現れるのか。なぜ、隣の人に私の膝には本当にノートパソコンが載っていますかと私が聞いたように思われる時、相手がはいと言っているように思われるのか（自宅ではやらないでくださいね）。いずれも幻覚、夢、神経科学のマッドサイエンティストで説明することは可能だが、それらの説明は自然な説明、つまり私がノートパソコンの前に座ってこの文章を入力しているという説明ほど優れてはいない。

でも、ある説明が他の説明より「優れている」ってどういうこと？

さあ？　しかしそれは、単純明快さ、アドホック性（説明に反証が出た場合に臨機応変にそれを否定できること）、同じ基本パターンでどれだけ説明できるか、個々の説明が既成概念の見直しをどれだけ求めるか、と何がしかの関係があるだろう。この四つの点で、常識的な説明は常識離れした懐疑的説明にまさる。

何かをわかっている人など誰もいないとか、何かを信じる根拠がある人など誰もいない、と思っている筋金入りの懐疑論者は、この論証に納得しないいんじゃないいの？
結局「なぜ仮説推論を信じるのか」と言われるだけじゃない？

これについてはいろいろ言うことがあるが、一つ覚えておきたいのは「自分の頭の中以外の世界のことがどうしてわかるの？」は「私はこれがわかっていると筋金入りの懐疑論者を納得させるにはどうすればいいか」や「どうして仮説推論が成立するとわかるのか」という問いと同じではないことだ。仮説推論は、今挙げた二つの問いへの答えとして優れてはいないにしても、最初の問いへの答えとしては上出来ではないだろうか。

5歳くらいの女の子が母親と一緒に通りかかった。母親に何か聞きたいことある？と促された女の子は「私は本当にいるの？」と聞いた。一人の哲学者が答えた。「目をつぶってごらん。それでもまだ君はいる？　だったら君は本当にいるんだよ」。母親はすごい勢いで娘を連れ去った。女の子は電車に向かいながらしきりに首をひねっていた。

7. 地球温暖化が進む世界で「子供」を持つのは正しい？

難問だ。本当に正しく評価するためには、温暖化した地球では生活がどうなるのか、平均的な人は一生でどれだけ気候変動に加担するのか、親は子供にどこまで責任があるのか、そもそも人はなぜ子供を持ちたがるのか、未来の人々と今すでに存在している人々の道徳的に重大な違いとは何か、養子縁組の倫理、個々人の責任は集合行動問題にどう加算されるのか、許されるが理想とはいいがたい行動と完全に許されない行動の線引きはどこにあるのか、といった深くて厄介な、経験的かつ評価的な問いに答えなければならないだろう。これらの問いへの答えは試みるまい。

いい、しかし、地球温暖化が再生産をためらわせるとされる一つの大きな理由は、温暖化した地球での生活が、今私たちが享受している生活よりはるかに厳しくなりそうだからだ。生きている価値もないほど厳しいとしたらどうだろうか。

ところで、人生が生きるに値するとどうしてわかるのか。いちばん簡単なのは、今生きている人々に人生が生きるに値すると思うかたずねればいい。ノーと言う人のほとんどが、物事の評価を体系的に歪める精神疾患を患っていることは注目に値する（おそらく例外は、痛みと衰弱をともなう末期疾患で余命がはっきりわかっている人々だ）。（循環論法に見えるかもしれないが、それは違う。自分の人生が生きるに値すると思うかとたずねる以外にも、精神疾患を診断する方法はあるからだ。）

しかしこれに関しては、選択的記憶、死への恐怖、まったく違う人生を想像する難しさなどから、誰しも偏見がある。こうした潜在的な偏見を避ける一つの方法は、任意の一日について、こんな一日を生きたくなかった、寝ているうちに終わればよかったのにと思うほどひどかったかどうかたずねることだ。あるいは、これもまた心理学の経験サンプリング法に倣って、一日の中で無作為の時刻に調査対象者にテキストメッセージを送り、その瞬間の気分をいくつかの要素（熱中している、満足している、リラックスしているなど）ごとに1から7までで段階評価してもらうのもいいだろう。わからないが、絶不調の日だと答えたり、回答の平均が段階4より下だったりする人の割合はかなり低いと予想する。5パーセント未満ではないだろうか。

もちろん、これはすべて地球温暖化の悪影響が実際に発生する前の話だ。しかし繰り返しになるが、地球温暖化によってどれほどひどいことになったとしても、地球温暖化後の平均的な人の生活は、今日の最底辺5パーセントの人の生活よりはるかにひどいだろうか。可能性はあるが、そこまでひどくない限りは、**まだ生きるに値するはずだ。**

いずれにせよ、子供が欲しい人はみんな養子を取るべきだ。*

ブースを訪れたある人が、チンパンジーに道徳観念があるという最近の研究について読んだが驚かなかった、自分は農場育ちでいろんな家畜に道徳観念があるのを見ていたから、と言った。「道徳観念を持ち合わせている動物の中でいちばんバカなのはどれですか？」とたずねたところ、「人間ですよ」とのことだった。

*反論は受け付けません。

8. 脳はどのように「意識体験」を生じさせるの？

誰にもわからない。誰にもわからないことは、脳がどのように意識体験を生じさせるかについての多種多様な理論に、この世のどれだけの生物が意識体験をしているのかについてのきわめて多種多様な結論がともなうことからもわかる。理論のどれ一つも前提にしていないこの論点について、どの理論が正しいかは確定のしようがない。したがって、少なくとも今のところは、この問いには答えようがない。

とはいえ、問いを前に進めることはできる。一つの方法は、経験そのものの記述を洗練させることだ。例えば、記述の正確さは、再テスト信頼性を測定したり、どのような人がどのような状況で心理学でいう非注意性盲目に陥りやすいかを見たり、人々が自分の経験を記述する際に外界に関する自分の知識をどの程度考慮せずにいられるか（微妙な目の錯覚を起こすなど）を評価したりすることによってテストできるだろう。

問いを前に進めるもう一つの方法は、「意識」という言葉の意味をできるだけ明確にすることだ。倫理的あるいは政治的に重要な問題についての知識を語る際に「意識」という言葉が使われる場合があるが、この問いの文脈で使われる「意識」とは明らかに意味が違う。最低限、生物的意識と状態意識と質的意識は区別できる。

生物が眠っているか昏睡状態にあるのではなく覚醒している時、それを生物的意識と呼ぶ。自分が推論の結果としてではなしに恐怖、希望、確信、渇望など特定の精神状態にあると自覚している時、それをざっくりと状態意識と呼ぶ。一方、もしあなたであるらしい何かが存在する場合、もしくはあなたに内面生活ないし経験の流れがある場合、あなたには質的意識があることになる。

これら3種類の意識は区別できる。例えば、ニューロンの数が300余りしかないカエノラブディティス・エレガンスという線虫には睡眠サイクルのようなものがある。ということはこの線虫は生物的意識を持てているわけだが、こいつに精神状態や内面生活があるかは疑わしい。また、苛立ちの感情があなたの経験の流れに忍び込むことはありえるが、そばにあったうるさいエアコンを誰かが止めて急にほっと肩の力が抜けるまで、この感覚経験をあなたは意識しない。したがって、私たちの内面生活のすべてが状態意識であるわけではない。

脳がどのように生物的意識と状態意識を生じさせるかという問題は難しいが、解けなくはないとわかる。何はどうあれ、これらに関しては多少なりとも一般に認められた行動実験と生理学的実験が、少なくとも典型的な人間の成人についてはできるからだ。一方、脳がどのように質的意識を生じさせるかという問題はもっと難しい。人々の内面生活に関して同様の実験ができないのも一因だ。しかし、科学の歴史から学べることがあるとすればそれは、もし哲学上の理由から科学的に説明が不可能だと宣言したら、気鋭の若き科学者によってそれが間違いだと証明された時に大恥をかくということにほかならない。

9. なぜ「気」にしなきゃいけないの？

何らかの物事を気にしなきゃいけないことについて、争う余地のない事実を前提とした証明を求めているなら、そんなものは見つからないだろう。だがいいことを教えよう！**あなたは気にするかどうかを選べない。**あなたが何かについて怒り、悲しみ、喜び、誇りを感じるとすれば、あなたはそれを気にしている。あなたはこうした感情を持たずにはいられないのだから、気にせずにいることはできない。

問うべきは、できる限り上手に——つまり、十分に情報を得たうえでの熟慮に耐える、一貫性のある形で気にするかどうかだ。あなたは以前はひいきのチームが大きな試合に勝つかどうかを気にしたかもしれないが、スポーツをよく知るにつれ、ひいきのチームやスポーツそのものへの思い入れが薄くなるかもしれない。あなたは政治を気にしていなかったかもしれないが、時事や歴史について読むにつれ、敏感になるかもしれない。まったく無関心な人を、推論だけで気にするようにさせることはできない。しかし幸いにもその必要はない。なぜなら完全に無関心な人などまずいないからだ。ただし推論によって、もっと一貫性のある熟慮した気にしかたができるようになる。私たちに望めるのはせいぜいそのくらいだ。

でもそれじゃつまらなくない？　もし私が気にする対象がすべて、基本的に自分が生まれついた状況によって気にするようにさせられてるものだとしたら、気にすることに根拠はないように思えるんだけど？

純粋に事実にもとづいた前提から物事に気にする価値があると証明できないという事実に、私たちは腹を立てることは**できる**。しかし事実そのものがあなたに腹を立てることを合理的に強いるわけではない。

私に関して言えば、自分にはまったくどうすることもできない世の中の重大事——自分がいずれ死ぬこと、愛している人がみんないずれ死ぬこと、太陽がいつか超新星爆発を起こすこと、銀河同士がどんどん離れていくこと、（聞いた話では）宇宙が熱的死を迎えるのは避けられないことへのパニックと恐怖に時々飲み込まれそうになる。この感情は簡単には振り払えないし、完全に振り払える日が来るとも思わない。でもこの感情にとらわれる時、来たるべき事実への正しい反応であると感じる。この感情を持たないのは目の前にあるものが見えないに等しい、そんな感じだ。それが思い違いだと我に返ると立ち直れるし、癒されさえする。感情は合理的でも不合理でもありうるが、真か偽かという類いのものではない。あなたが偽物をつかまされないようにと気を張っているタイプの人だとしたら、これで気が楽になるのではないだろうか。

10.「理想的な政府」の形とは？

たいていの哲学上の問いと同じく、これも少々漠然としている。政体と呼んでもよいが、政府が持ちうる特徴はいろいろあり、その多くは共通するものもあれば固有のものもある。しかし以下に述べることが十分な答えになるのではないだろうか。

私は社会主義者だ。私は社会主義を、現在は私有財産である多くのものを集団で民主的に所有し管理することを目指すべきという見解だと解釈している。これでは答えられていないものがたくさんある。「目指す」って何によって？（労働運動、選挙政治、流血の政治革命？）集団って何？（労働者、自治体の住民、州政府か連邦政府か世界政府？）民主的の意味は？（代議制民主主義、それとももっと参加型の？）私有財産って誰の？（個別企業、産業、経済全体？）しかしここはこうした詳細に答える場ではない。

社会主義を支持する論証として私が最も説得力があると思うものを以下に挙げる。

不平等の観点からの論証

財とサービスが主に市場を通じた民間事業者の相互作用によって供給されるべきだとする資本主義は、大きな不平等につながる。不平等は不公正だから本来的に悪い、とあなたは思うかもしれない。しかし私は無駄と支配という観点から不平等の悪を考える。不平等が無駄につながるのは、貧しい人々が持てば活用されるはずの資源が、それを必要としない人々の手に与えられるからだ。不平等が支配につながるのは、他人よりはるかに富を持つ人々がいると、物事が自分たちに有利に運ぶように社会の基本的な制度を操作できてしまうからだ。

もう一つの考え方も紹介しよう。ざっくり言うと、資本主義とは、社会が市場を通じて財やサービスを供給する場合、財やサービスが貧しい人々の手に届かなくてもいいと言うための方便なのだ。* もちろん、貧しい人々の利用を拒んではいけないものがあるという意

＊たしかに、アメリカは混合経済〔市場経済に政府の介入がミックスした経済体制〕であり、特定の財とサービスをまかなえない人々が、資産調査にもとづいて政府の援助金や公営住宅のような公的サービスを受けている。しかし資産調査にもとづいたサービスは常に恥とされるため、常に不安定で不十分だ。フードスタンプ〔アメリカで低所得者に配布される食品購入券〕と社会保障を比べてみてほしい。

思決定はすでにされている。道路、郵便サービス、義務教育、社会保障、図書館など。でもなぜそこで止まってしまうのか。貧しい人々に食べ物、家、衣類がなく、医療やトイレやインターネットや高等教育が利用できなくて本当にいいのだろうか。私には良くない。

地球温暖化の観点からの論証

資本主義は不断の成長に依存しており、少なくとも通例、不断の成長とはエネルギーと天然資源の利用が不断に増加していくことを意味する。これは持続可能ではない。社会主義という政体が必ずしも環境的に持続可能なわけではない。ベネズエラやノルウェーの例に見る通りだ。しかし、気候変動が突きつける存亡リスクを避けるつもりなら、たえざる成長に依存しない何らかの政治経済体制が必要だ。

市場の限界

アダム・スミス以来、古典派経済学者たちは、個々人が自己利益のために行動すれば市場の相互作用によって互いを利することになるしくみを述べるために、「見えざる手」という概念を使ってきた。iPhoneを考えてみよう。アップルの関心は主として金儲けにある。お金を儲ける一つの方法は、自社の携帯電話に楽しくて便利な新しい特長をたえず開発し、あまり多くの消費者に敬遠されない価格で製品を販売することだ。ｉＰｈｏｎｅを購入する個々の消費者も主として自己利益のために行動しているが、彼らがアップルに支払うお金はさらなる開発の資金となる。誰もが得をする！（ｉＰｈｏｎｅの部品製造工場の労働条件や、ｉＰｈｏｎｅに使われている希少鉱物の採掘にともなう環境コストに目をつぶる限りは。）自由市場の擁護にはえてして見えざる手の力が持ち出される。

しかし、見えざる手が機能しない条件や市場の種類の幅を考えると――独占とカルテル、売り手と買い手の情報格差、コモンズの悲劇、他の負の外部性、公共財、計画的陳腐化、レント・シーキング、縁故主義、マッチポンプ的に需要を作り出す市場――、これは修正すべきシステムなのではなく、その大部分を置き換えるべきシステムであるという方が妥当に思われてくる。

自動化の観点からの論証

すばらしいことが起きた！　以前なら誰もやりたがらなかった、頭を使わない仕事の多くをやってくれるロボットや機械が登場した。ところが人々は戦々恐々としている。おなじみの論点かもしれないが、これがいかにおかしなことか本気で考えるべきだ。理由はひとえに、自動化の便益が私有化されてきたからなのだ。

労働配分の観点からの論証

中規模〜大規模企業で働いたことのある人なら誰でも、存在すべきでない仕事がたくさんあることを知っている。管理職が新しい管理職を雇うことによって問題を解決するからというのが理由の一部だ。一度作ってしまった仕事はなかなか廃止できないという理由もある。しかし人類学者のデヴィッド・グレーバーが示したように、実に多くの人々が自分の仕事は存在すべきではないと考えている。テレマーケター、債券トレーダーや債権回収者、秘書やアシスタントを必要としない人々の秘書やアシスタント、など。

それに対して、自分がおそらくできるはずのきわめて重要な仕事について真剣に考えてみてほしい。いくつか候補を挙げると、人工培養肉の研究、パンデミックの研究、存亡リスク研究、二酸化炭素回収と再生エネルギーの研究、外国に対する低コストの公衆衛生的介入がある。このような仕事の大半は、民間の慈善団体と公的助成金から資金が出ている。あるいは、高血圧のような富裕層の疾病と、マラリアのような貧困層の疾病の研究、治療、予防に充てられる財源の違いを考えてみてほしい。違いは、短期的には利益が出ない、もしくは超富裕層の利益に反する点にある。富裕層の利潤と権益がそれほど重視されない、より優れた政治経済体制なら、こうした仕事にもっと惜しみなく資金が出るだろう（ソーシャルワーカー、ホームヘルパー、清掃員、農場労働者、倉庫作業員、保育士など、とても重要なのに不当に報酬の低い職業についても同様の、ただし少し異なる論証ができるだろう)。

道徳のすり替えという観点からの論証

自由市場を当初支持した人々の多くは、それによってより平等な社会が実現すると考えたから自由市場を信じた。理由は（a）当時格差を生んでいた最大の原因の多く(例えば封建的な財産法やギルドによる独占）に自由市場が異議を突きつけていたことと、（b）当初の支持者がおしなべて、個々の労働者は自営業か自営業を目指していると考えていたことにある。産業革命以前の話だ。

資本主義はこうした目的の達成に派手に失敗してきた。ところが私たちはより優れた政治経済の形を目指すかわりに、資本主義の根底にある道徳を変えてしまった。今では、資本主義とは個人の分相応の生き方であり、実力主義であり、政府介入からの自由だということになっている。これについて私たちはせめてもう一度考え直すべきだ。

他の社会問題との交差

どの程度かは特定しづらいが、資本主義は本質的に経済問題とは言いきれない社会問題、例えば工場式の畜産飼育、戦争、障害者差別、人種差別、警察による暴力、性暴力、さまざまな公的な場からの女性の排除などに加担している。社会主義がこれらの問題への完璧な解決になるわけではないが、解決の重要な鍵ではある。

理想的な政府の形について質問した少年は、年下の二人の友人と一緒に15分ほどブースにいた。三人は質問の入ったボウルと思考実験のボウルをかきまわし、あれやこれやについて私たちと立て板に水のごとく論戦した。

その後、哲学者の一人が少年たちに、君たち自身からの質問はないのとたずねた。年かさの少年は眉根を寄せ、急に少し恥ずかしそうになった。一瞬言いよどんでから、「これ、哲学の問いになるかわかんないけど」と彼。「かまわないよ。言ってみて」。「理想の政府の形って何?」。

一応言っておくが、これは政治哲学の基本的な問いであり、だからもちろん哲学の問いだ。

11.「色」って主観的なもの？

「主観的」はつかみにくい概念だ。意味は少なくとも二つ考えられる。一つ目の意味は、知識と推論に関係している。二つ目の意味は、あるものをそのものたらしめているのは何かに関係している。最大限の理性と情報を持ち合わせた人々の間で事物の色について意見の相違がありうるなら、色は一つ目の意味で主観的だ。他方、何物にも絶対的な色はない――つまり、事物の色が個人個人にとっての相対的なものでしかないとすれば、色は二つ目の意味で主観的だ。言い換えると、色は時刻とか右左と同じということだ。絶対的な午前11時11分というのはありえず、どこかのタイムゾーンでの午前11時11分でしかない。絶対的な左というのはありえず、ある視点から見た相対的な左でしかない。色がこの意味で主観的なものだとしたら、何かが赤いとかピンクだとかオレンジだなどと言う時、私たちは実は自分自身についても少し語っていることになる。

（脱線になるが、哲学でエピステーメー［知識を意味するギリシャ語に由来］とも呼ぶ一つ目のタイプの主観と、形而上学的主観［単に自分が考えたり語ったりする世界のありさまではなく、真の世界のありさまをいう］とも呼ぶ二つ目のタイプの主観は、非常に混同されやすい。理性を持つ人同士があることで意見が一致しないという観察を出発点に、彼らが話し合っているのは実は彼ら自身についてでしかないと推論すると、簡単に道に迷ってしまう。

今頃古いと思われるのを覚悟で、例のドレスの話をしよう。ネットのこの話題が忘却のかなたに葬り去られた（合掌）後に読んでいる読者のために説明すると、青と黒にも白と金にも見える、不思議な光の当たり方をしたドレスの写真の話だ。どちらにも見方を切り替えられる人もいるが、ほとんどの人にはそれができない。結局、ドレスは本当は青と黒だったことが明かされた。つまり、ドレスの実物をさまざまな光の状態で見た人々の間で青と黒だと意見が一致した。ところがこのニュースが出た後もなお、ドレスは白と金だと言い張る人々がいた。ドレスが実は青と黒だとわかってからも白と金だと言い張る場合、それはざっくり言ってドレスが自分には白と金に見えると言い張っているのだ。しかし、そうだとしたら、ドレスが青と黒だと言っている人と意見の食い違いがあるわけではない。二人がテーブルをはさんで向かい合っていて、一人がサラダはパスタの左側にあると言い、もう一人がサラダはパスタの（左ではなく）右にあると言っているようなものだ。それぞれが自分の視点から話しているのであって、二人の意見は食い違っているわけではない。

私たちは色について語る時、形而上学的主観で語っている場合がある。

しかし常にそうであるわけではない。ドレスが実は青と黒だったとわかる前、ドレスが白と金だと言っていた多くの人は、単にたまたまこの写真が自分にどう見えたかについて話していたわけではない。どんな光の条件でドレスを見ても結論は白と金だと信じていた。それは間違いだったので、彼らはドレスが実は青と黒だとわかってから考えを変えた。私たちは色について語る時、自分自身について語っているわけではない場合もある。そこに形而上学的主観はないからだ。

そうだね。でも、ドレスが実は青と黒だとしても、そのドレスを青と黒たらしめるのは人がそれをどう経験するかでしょ。事物にはたしかに現実に色があるけど、事物に色があるのは、人が特定の形でそれを経験するからという面もあるんじゃないの。誰にも色が見えなかったら、青でも黒でも白でも金でも、色というものが存在しないでしょう。色は人間の脳内にしか存在しない、つまり人間の脳がなければ存在しない。私が色が主観的だと言うのはそういう意味なんだけど。

かもしれないが、なぜそう思うのだろうか。色と形を比較するとわかりやすいだろう。

事物がどんな形に見えるかは視点や光の当たり方で違ってくる可能性がある。形の知覚は色の知覚と同じく、さまざまに歪曲される（個人的に好きなのは、顔が仮面を表から見たように凸面として認識されたり、仮面を裏から見たように凹面として認識されたりする、ホロウマスク錯視だ）。しかし（少なくとも今日のところは）色が脳内にしかないと拙速な結論を下すにしても、形について同じように考える人を私は多くは知らない。

この話に関連性がありそうな色と形の違いが、少なくとも一つある。現代物理学はあらゆる事物を形で記述し説明する。しかし、私たちが赤と呼ぶ事物の不思議な集合を考えてみてほしい。赤ワイン（紫色のブドウ果汁の色だ）、赤いスイカ（中身が赤い）、赤いリンゴ（外側が赤い）、視野に現れる赤い点（体外に物理的に存在する物体ではない）、赤いペンキ（周囲との関係でオレンジにも茶色にも見えるかもしれない）、などなど。これらには物理的な共通点は何もない。物理学者は物体のふるまいを、それが反射する光の周波数で説明するかもしれないが、その赤さや青さなどでは説明しないだろう。物理学者は事物の色について語らずとも何の不都合もないのだ。

しかしそれを言うなら、物理学者は椅子について語らずともこれまた何の不都合もない。だからといって椅子は私たちの脳内にしかないということにはならない。でしょ？

12.「時間旅行」は可能？

可能どころか、現実にある。正確無比な時計を二つ、同時刻に合わせよう。一つを地上に残し、もう一つを飛行機に載せてしばらく飛ぶ。飛行機が着陸してから二つを比べると、飛行機に載せた時計は地上に残した時計よりも少しだけ前の時刻を表示しているだろう。原理的に、飛行機が光の速度に近づけば、飛行機の時計は地上の時計よりもはるかに前の時刻を表示するはずだ。もしある人物がその飛行機で例えば一年間過ごしたら、地上では何年も経過していることになる（物理学ではこれを〔特殊相対性理論における〕時間膨張という）。

非常に興をそそる話だが、ちょっとがっかりされそうだ。結局のところ、これは未来への時間旅行である。これと、私たちが誰でもただ生きているだけで行っている時間旅行の違いは、機上の人物が通常よりも確認できる程度にゆっくりと時間を旅している点だけだ。

しかしほとんどの（全部じゃないが！）時間旅行ファンタジーは過去への時間旅行を扱っている。こちらは可能だろうか。

これについてはですね、不可能とする有名な論証がある。単に物理理論にのっとって、あるいは技術的な限界を前提にしてではなく、原理的にだ。いわゆる祖父殺しのパラドックスである。私が過去に時間をさかのぼることができたら、自分の祖父を殺すことが可能だ。しかし自分の祖父を殺すことができるはずはない。もし祖父を殺していたら、私は生まれているはずがなく、したがって祖父を殺しているはずがないのである。よって過去への時間旅行はありえない。

かもしれないが、この論証は私の見る限り真ではない可能性があることを前提としている。パラドックスを引き起こすことを一切しないという条件で、私は過去に時間旅行できるかもしれない。ひょっとすると過去は分岐構造をしていて、私が過去にさかのぼって祖父殺しをした場合、実際に祖父殺しをしたバージョンの自分ではなく、その分岐上のバージョンの自分が生まれてくるのを妨げるのかもしれない。ひょっとすると時間はループ構造になっていて、私が過去にさかのぼって祖父殺しをした場合、私は自分が生まれたループの繰り返しを妨げるが、一度はそのループが現実化しているのかもしれない。というようなことが考えられる。

しかし「哲学者だけど質問ある？」ブースで似た質問があった。この話題を持ち出した男性は過去への時間旅行を想定していた。私たちは祖父殺しのパラドックスについて少し話したが、結論が出なかった。その後、彼にそもそもなぜ過去に時間旅行したいのかたずねてみた。過ちを修正したい、当時は価値がわからなかった体験を再体験したいなど、ありがちな理由が返ってきた。それなら、未来に行くのはどうか？　どんな現実的な利点があるだろう？　彼の返事には実に考えさせられた。未来への時間旅行をしたら、うたかたのような日々の出来事があまり気にならなくなるだろうというのだ。身をもって経験する時間の幅が大きいほど、視野が広がり、個々の瞬間への思い入れは小さくなる（結局、時間膨張のない世界でも、加齢で似たようなことが起きないだろうか。それとも、これは人間と時間の関係に対する加齢の役割を、拙く述べたものだろうか）。こういう経験をした人物は、政治的な意思決定にことのほか役に立つのではないか、と男性は言った。

これは老人支配政治を支持する、意外に説得力ある論証だ。過去への時間旅行の可能性をたずねた男性の質問には答えなかった、というか答えられなかったが、この問いを手がかりに論を発展させるのは有意義だ。哲学的な問いには問い同士が連結する性質がある。

13. 人間の本質は「善」か「悪」か？

両方の要素が少しずつある。人はありとあらゆる善行をする性向を持って生まれてくる。孟子が、井戸端でよろけて落ちる寸前の赤ちゃんを見かけたらと想像を促している。ほとんどの人は考える間もなく赤ちゃんを守るために走り寄るだろう、と孟子は考えている。もしあなたが赤ちゃんを守るために走り寄らないとすれば、おそらくそうしないことを学習しなければならなかったはずだ（生まれつきのサイコパスでもない限り）。人間が持っているほぼ普遍的な（したがっておそらく生来の）善性の例はあなたにも思いつけるだろう。泣いている人を慰める、子供の世話をする、その他、共同生活を成り立たせるさまざまな協力の形を。

人はまた、ありとあらゆる悪行をする性向を持って生まれてくる。私たちは多少なりとも恣意的な集団を形成し（キリスト教の宗派間の針の先で突いたほどの教義の違いを考えてほしい）、集団の外にいる人々に冷淡になったり残酷になったりする。魅力的な人々、自分に似た人々、時間的・空間的に自分に近い人々の方を私たちは気にかける*（30年後に生まれる子供たちに選挙権があったら、環境政策は今とは少し違ってくるのではないかと私は想像する）。大規模な不幸を統計的に述べられても、私たちは心を動かされない。私たちには既存の（往々にして不当な）社会構造としきたりを好むバイアスがある。プラトンは、はめると姿が見えなくなるという神話のギュゲスの指環を持っていたらどうするかと問いかけた。あなたが正直者なら、その答えには人に言えないような行為も入るのではないだろうか。つまり、正直に答えたら、見つかればただではすまないと恐れているから実行しないだけの卑劣なことを行う性向があなたにもあるはずだ。

しかし私はこれを、人間の生来の性向、つまり他の条件が同じであればやるはずのこと

*「でも、外国の人々より身近な人々を気にかけるのはまったく問題ないんじゃないの？」とあなたは抗議するだろう。哲学者のピーター・シンガーの有名な問いかけに、浅い池で溺れている子供のそばを通りかかったらという想定がある。溺れかけた子供を池に入って救うのはたやすいが、そうすると服が汚れる。もし服が汚れるからと子供を助けようとしなかったら、あなたは人でなしと思われるだろう。では、それはなぜなのか。同等の重要性がないもの（例えばあなたの服）を犠牲にするだけで良いこと（例えば子供の生命を救う）ができるなら、やるべきだというのが自然な説明となる。しかしこの原則に従った場合、世界の別の場所にいる人々への私たちの共感はどう違ってくるだろうか。

に関する問いと解釈している。だがあなたはこれを、人が生まれつき善か悪でずっとそのままかどうかという問いと解釈するかもしれない。人間の本性（この言葉が何を意味するにせよ）、つまり人間が一皮むいたらどうであるのかについての問いとも解釈できるかもしれない。こうした別の解釈の方がひょっとして重要なのかどうか、私にはわからない（人が生まれつき善か悪かなど、なぜ気にするのだろうか）。

　私たちの生来の性向が現代生活にそぐわない場合があることも一考に値する。何もかもが欠乏している状況で小さな集団を作って暮らしていた狩猟採集時代、つまり現代とは生活が大きく異なっていた時代に進化した性向だからだ。魅力的な人や自分と似た外見の人を優遇するのは、先史時代の先祖が生き残るには役立ったかもしれないが、今の時代にそれをしたら単に嫌なヤツである。人間が生まれつき善か悪かは、ある程度は、先祖の生きていた環境が現代の私たちが生きている環境とどれくらい合致しているかの問題だ。合致している分だけは、現代生活が過去と離れていくほど私たちは生来的に悪人になると予想できる。救いは、もし万が一、人類が石器時代に戻るとしたら、理想の世界が待っていることだ。

一人の哲学者がブースの訪問者にギュゲスの指環の質問をした。訪問者はこう答えた。目の不自由な人は常に姿の見えない人々に囲まれているわけだよね？　彼らは自分がひどい扱いを受けないようにうまく切り抜けてるんじゃないの？　この答えの鋭さと豊かさに私はぐうの音も出ない。姿が見えなくなったら人の行動がどう変わるかの反事実的な推論は可能だが、そんなことをする必要はない。現実世界で見える場合と見えない場合の人の行動を観察するだけでいいのだ。

14.「思考」と「言葉」どちらが先？

思考。

言葉を獲得する前の赤ちゃんに思考があること、つまり赤ちゃんがものを考えていることを知るには、赤ちゃんが驚いた時の行動を観察するという方法がある。ある古典的実験*（次ページの図）では、赤ちゃんに跳ね橋を正面から見せる。跳ね橋が１８０度完全に開いたり閉じたりするさまを数回見せて慣れさせる。それから、跳ね橋が赤ちゃんのいる側に向かって閉じた状態の時に、実験者が跳ね橋の進路に障害物を置く。そして、赤ちゃんの一グループには「起こりうること」を見せる。つまり跳ね橋が開いていって障害物にぶつかる。障害物（ぶつかっているところは赤ちゃんからは見えない）に達すると、跳ね橋は止まり、赤ちゃん側に戻っていく。跳ね橋は障害物を通過できないからだ。

もう一グループの赤ちゃんには「起こりえないこと」を見せる。跳ね橋が開いていって障害物にぶつかる。ここで実験者が障害物を取り除き（赤ちゃんからはその様子が見えない）、

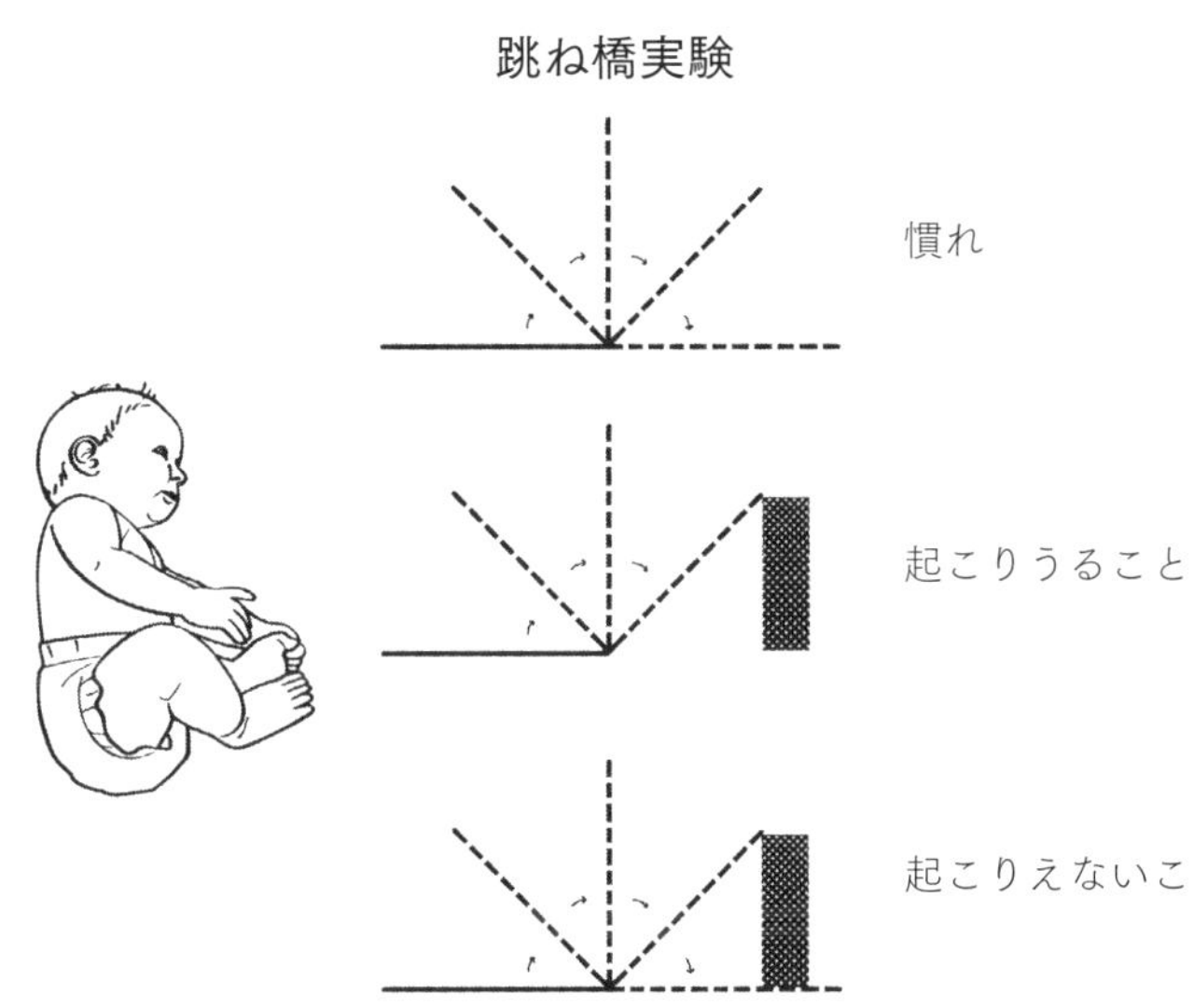

跳ね橋は１８０度完全に開く。障害物が消えたのだ！　謎をさらに深めるため、跳ね橋が赤ちゃん側に戻っていく間に、実験者は障害物を元の位置に戻しておく。あら不思議、障害物がまた現れた！

　ここで重要な発見がある。赤ちゃんたちは起こりえないことを起こりうることよりも平均数秒間長く見つめるのだ。この実験結果の最も自然な解釈は、跳ね橋とぶつかった後も障害物は存在し続けると赤ちゃんたちが予想し、その予想が裏切られたというものだ。この実験を変化させて別の起こりえないことや別の驚き

＊ Renée Baillargeon, Elizabeth S. Spelke, and Stanley Wasserman, "Object Permanence in Five-Month-Old Infants," *Cognition* 20, no. 3 (1985).

の測定尺度（心拍数、指しゃぶり、微笑み）を使ったり、〔最初の実験の生後5カ月ではなく〕生後2カ月半の赤ちゃん（！）を対象にしたりしても、同じ解釈が裏付けられる。予想は一種の思考だから、人間の言葉を話さず理解できない赤ちゃんも思考するのだ。

同じ主張が人間以外の仲間についてもできる（動物はなかなか凝ったシグナリングシステムを持っているが、表現力や文法的な複雑さで人間の言語に匹敵する言語は持たない）。私の犬*はさまざまな思考をする。例えば、私のパートナーが彼を散歩に連れ出し、戻ってきた時に私がいないと、彼は私を探しているかのようにアパートメント中を走り回る。この行動に最も自然な説明をつけるなら、彼は自分が戻ってきた時に私が家にいると予想しているのだ。彼が他にも予想をすることは、同様のふるまいからわかる。人間が「オヤツ」と言う時に何が起こるか、自分のフードがどこに置いてあるか、散歩で公園に向かったらその先に何があるかなどの予想だ。利口な犬だが、彼が特別利口なわけではない。

でもそれ、本当に思考なの？　単なる行動パターンとかその類いの可能性はないの？

簡単に答えると、赤ちゃんや犬が思考すると仮定することで、赤ちゃんや犬のさまざまな行動は正確かつ明快に予測と説明ができる。よって、赤ちゃんや犬が思考すると私が信じる根拠は、さまざまな現象の予測や説明を可能にするものを私が信じる根拠と同じで、きわめて確かだ。

しかし、たとえ言葉を持たない赤ちゃんや犬に何らかの思考ができるにしても、その思考はある種単調な物事、つまり直接知覚できるものばかりについてになりやすい。大人の思考はそれとは異なる。遠い過去や見てさわれるもの以外にまで発展していく。例えば、私はプラトンが『国家』を執筆し、電子に負の電荷があり、27の立方根は3だと思っている。言葉なしにこのような思考がどうやってできるかは想像しにくい（不可能ではないにしても）。私たちが知覚できない人物や亜原子粒子や数学関数を参照できるのは、言葉のおかげだ。こんなことは言葉がなければ非常に難しい。

これは実に奥が深いと思う。哲学では、時々壁、つまり思考の限界にぶち当たる気がする。本当の壁がどこにあるのか、単に一時的に考えがまとまらないだけなのはどんな時か。私にはわからない。しかし、答えは言葉の力でどこまで新しい思考が可能になるか——そしてどこから不可能になるのか——にあるのだろう。

＊インスタグラム：@donteatscrapple

15. 何が「自分のため」になるか、私たちはどれだけわかっているの？

誰でもある意味、自分自身の専門家だ。私は私のソーシャルセキュリティナンバー、銀行預金の額、今現在お腹が空いているかどうか、朝食に何を食べたか、今日の予定などを知っている、少数の生身の人間の一人だ。グーグルとグーグルが私の個人情報を売る相手をわずかばかりの例外として、私は24時間自分の居所を知っている世界の最高権威である。この情報をまったく無駄に持っているわけではない。特に昼飯をどうするか考えるにはきわめて重要だ。したがってある意味、**私たちは何が自分のためになるかに関する専門家だ。**

また、自分と同様の人のためになることに関する専門家でもある。ある種の議論から特定の人々を除外すれば、その人々が提供してくれる懸念や知見を見逃してしまうだろう。例えば、男性と女性で症状が異なって出る病気が誤診されやすい一つの理由は、病気の研究が歴史的に男性によって、多くは男性を被験者として行われてきたことにある。特定の人々のためになること（あるいは彼らが属するもっと大きな集団のためになること）を知りたい場合、少なくとも時々は、その人々の声に耳を傾けるべきだ。

一方、心理学や行動経済学では過去数十年の間に、何が自分のためになるかならないかの感覚が、本質とは関連性のないさまざまな目くらましに影響されることが、山のようなエビデンスで示されてきた。

私たちはたとえ同じ価格でも、セールになっていると聞かされると、定価では買わないようなものを買ってしまう。あるいは選択肢が同じでも、リスクや報酬を意識させられると、違う選択をしてしまう。あるいは、すでにお金を払っているからというだけの理由でやりたくもないことをしてしまう。あるいは、現金だったら使わなかったはずのお金をクレジットカードなら使ってしまう。

これに関してもまた、私たちは自分のためになることのみならず、同じ社会的立場にいる人々のためになることについても、組織的に過ちを犯す。カール・マルクスなどによってこれは虚偽意識と呼ばれるようになった。

中世の農民が「柔和な人々は地を受け継ぐだろう」（地上の権力に逆らわない者は神の国で報われる）という聖書の言葉を信じたのは、それが実際に真実だからというよりも、領主にとってその信念が根強い方がきわめて都合が良かったからだろう。

歴史を見るとアフリカの植民地化と大西洋間奴隷貿易を擁護した黒人が衝撃的な数存在する。著述家のトーマス・フランクが『カンザスはいったいどうしてしまったのか（What's the Matter with Kansas?）』〔未邦訳〕で論じているように、有権者はいつも（感情に影響しやすい）文化戦争の論点によって自分たちの経済的利益から目をそらされている。概して人は社会の主流のあり方が自分の所属集団にとってどの程度望ましいかについて大きく判断を誤る。彼らの無知が権力者を利する場合は特にそうだ。

さて、結論は？「私たちは何が自分のためになるかよくわかっている時もあれば、わからない時もある」では何の役にも立たない。自分のためになるように見えるものと自分のためになるものがどう違うのか、もっと有益で一般的な説明を得るには、行動経済学の初歩の知識が必要だろう。しかし、自分が同じ社会的立場の人々のためになることを自分がどれだけわかっているか、についてはどうか。ある社会集団内の人々が自身の状況について、部外者にはない当事者ならではの的確な知見を有するのはどんな時で、虚偽意識にとらわれるのはどんな時だろうか。この問いに対して私は一般的な回答を出せないが、できればそうした知見を求めることが常に良策であるのは間違いない。

何かが本人のためになるか（あるいはもっと大きな所属集団のためになるか）について

の議論にその社会集団のメンバーを参加させなければ、彼らが持っているはずの知見をとりこぼしてしまうだろう。

ブースを訪れた人の中に、介護者と一緒に散歩中だった知的障害のある成人女性がいた。女性は私たちが出していた哲学的問いの入ったボウルをかきまわし、「人生でいちばん幸せだった日はいつですか？」のカードを引いた。私たちは大きな祝い事、幸せと特別さの関係、幸せな瞬間のほとんどに他者が関わっているのはなぜかについて話し合った。素敵な会話だったが、私にとって新鮮な体験でもあった。人は時として哲学を、高い教育を受け深くものを考える人々だけが行う、市井の人々には高尚すぎる活動だと考える。それは間違いだし、しかも危険だ。自分の経験を顧みることができる限り、私たちは哲学できる。

16.「死後の生」はあるの？

ない。人生で目が覚めている文字通り毎分毎秒という時間が、「あなたの経験、内面生活、意識の中で流れていくすべては体に起きることに依存している」という新たなエビデンスを突きつけてくる。神経科学が長足の進歩を遂げ、本質的には同じ結論のさらに詳細なエビデンスが得られつつある。神経系の機械的な働きが十全に機能していなければ、意識を構成しているプロセスは止まってしまうだろう。哲学者が好んで言うように、精神は肉体に従う。体に変化がなければ意識は変わらない。[*] 肉体が消滅すれば、意識が従うべきものがなくなる。[**] したがって、語るべき意識はなくなる。

もちろん、「記憶の中で生き続ける」とか「エネルギーは永遠にこの世に残る」のような言い回しはある。心は慰められるかもしれないが、不死の代わりとしてはあまり説得力がない。

悲しいことだ。しかし興味深く希望の持てる、不死に近い現象がある。人は自分の死を意識すると、時に驚くような優先順位の変更をしばしば行う。ラッパーのナズは「人は死ぬからハイになる」と歌い、哲学者で心理学者のカール・ヤスパースは永遠なるものの体

＊ちょっと脱線。これは完全に正しいわけではない。私が中程度の認知症を患っており、料理や洗濯などの家事が自宅ではうまくできるとする。それを承知している家族は私が自宅で暮らせるよう努力してくれている。しかし自宅以外の場所に移れば、これらの能力はたちまち失われてしまうだろう。つまり、こういう状況だ。私は周りが協力的な環境にいればさまざまなことを記憶しており、非協力的な環境にいると同じことを記憶していられなくなる。どちらの環境でも体に変化はないにもかかわらずだ。言い換えると、私の精神状態は肉体だけでなく物理的な環境に従っている。このように、これも哲学の世界で時として言われていることだが、意識は環境に「拡張」する場合もある。
　非常に面白い考えだと思っているが、死後の生についてのここでの論点に本質的な影響を及ぼすものではない。
＊＊もう一回だけ脱線を。私が太ももに痛みを覚え、「大変だ！　太ももが関節炎になった」と考えるとする。医者に行ったら、関節炎とは関節の病気で太ももがなるものではないと教えられる。しかし、現実とよく似たもう一つの可能世界を想定してみよう。そこでは、医学界で「関節炎」が関節の炎症だけでなく腱の炎症も指す言葉として使われている以外、私の人生は瓜二つだ。この世界でも私は「太ももが関節炎になった」と考える。しかし今度は私の考えは正しい！　要するに、私の人生も、体の状態の経過も何一つ変わっていない。違うのは私が持っている関節炎という概念の意味だけだ。言い換えれば、私の思考は私の肉体だけでなく、その思考の意味に関して専門用語の使い方を決定する専門家のコミュニティにも従っている。哲学ではこれを「セマンティック・デファアレンス（semantic deference）」ということがある。
　これもまた、非常に興味深くはあるが、死後の生の展望を楽観させてくれるものではない。

験に目を向けよと言った。中世キリスト教徒はより良き中世キリスト教徒になれと（だよね）私たちに語りかける。シェイクスピアは「ソネット73番」でもっと激しい恋をせよと私たちに呼びかけている。既婚者向けの出会い系サービス「アシュレイ・マディソン」のキャッチフレーズは「人生は短い。不倫しましょう」だ。

彼らのさまざまな個性は、自身の死すべき運命からまったく異なる実践的な結論を引き出している。だがそのほとんどには共通点があると私は思う。彼らは次善の何かを目指しているように思われる。つまり、永遠の生（あるいは少なくとも現実的な寿命よりはるかに長く生きること）と同じくらい良い何かを目指しているように思われるのだ。彼らの中に正解や不正解があるかはわからないが、自身の死すべき運命を意識することが、自分の最も大切にしている価値観を浮き彫りにするのは明らかだ。哲学者のスティーヴン・ルーパーが言うように「死にまつわる不安は生への愛の裏返し」。

17.「科学と宗教」は両立する？

この問いには実は二つの問いが含まれているが、個別のケースでは厳密に分けるのが難しいかもしれない。論理学の問いとしては、科学的信念と宗教的信念は論理的に整合性があるかそれとも矛盾するか、あるいは互いに多少なりとも蓋然性（がいぜんせい）を与えるのかどうか。実践上の問いとしては、宗教の実践が、個人や社会において、科学の実践を育てるのかそれとも萎縮させるのか。

二つの問いに対する答えは、今挙げたすべてとなる。**論理学上は、ある一連の科学的信念に整合性があり、ある一連の宗教的信念に整合性があって、両者が異なる語彙の枠に収まっているなら、両者を合体させても整合性がある。***したがって、もし例えば、私の宗教的信念に道徳と超自然の語彙しかなく、私の科学的信念にはそのような語彙が含まれてい

＊この証明がほしければ「クレイグの補間定理」でググってください。

なくて、両者がそれぞれ内部で整合性があれば、私の宗教的信念と科学的信念を一緒にしても整合性はある。生物学者のスティーヴン・ジェイ・グールドが科学と宗教の「重複する事なき教導権」について語った時に考えていたのはこのようなことだ。そのような宗教的信念を持っている、少なくとも持とうとしている人々がいることは私も疑わないが、後に科学によって覆されたり当時の科学と対立したりした宗教的信念の例は歴史に事欠かない。A・D・ホワイトの『キリスト教世界における科学と神学の闘争史（A History of the Warfare of Science with Theology in Christendom）』〔未邦訳〕を読むだけでも「地球の裏側に人間はいない」「地球（特にエルサレム）が宇宙の中心だ」「動植物の種は個別に創造された」「地球の表面の7分の1だけが水に覆われている」「世界はできてからまだ6000年未満しか経っていない」「世界各地に化石が分布しているのはノアの時代に起きた洪水の結果だ」と信じるべき宗教的な理由を提示する人々が、歴史のさまざまな時点にいた。

科学的信念と宗教的信念は互いに多少なりとも蓋然性を与えるというのは、論理上は整合性があっても、もう少し微妙だ。片や、天文学者のヨハネス・ケプラーが、太陽系の他の惑星も基本的に地球と同じく自身の周囲をめぐる衛星を持っていると知った時、明らかに宗教上の理由から、それらの惑星には生物が棲んでいるに違いないと推論した。今日、宗教を信仰する人々は、これまでに観測されたすべての惑星に地球に見られる生命の多様性のようなものはないと思われる事実を受け入れているが、ケプラーの推論は、一部の宗教的信念と宇宙に生命はほとんど存在しないという信念が矛盾することを示唆している。

他方、宗教的信念と科学的信念が相互に補強し合う場合がある。ニュートン以前の世紀に、多くの科学者は物理的プロセスに唯一正当な科学的説明を与えるのは機械のしくみである、つまりあらゆる運動は突きつめれば、互いに押したり引いたりしている（多くは顕微鏡でなければ見えないほど小さな）歯車と滑車とネジで説明されると考えていた。機械論哲学と呼ばれたこの考え方が広く普及したのには、神が世界という機械を設計し、ネジを巻いて動かしたという、似たような神学上の見解と符合するという理由もあった。現代に目を転じても、瞑想と注意力に関する仏教の教えに心理学的な裏付けが発見されている（仏教を宗教とするのには多少異論があるが）。要するに、科学と宗教は、どの科学と宗教を取り上げるかによって、「論理学上まったく両立しない」と「完璧に一致する」を両極とした可能性のどこにでも位置づけられるのだ。

科学と宗教が実践上――単に論理の上だけでなく――両立するかどうかに関しては、宗教から動機や情報を得て科学を実践していた科学者が多数いた。近世の医師やパラケルスのような「自然魔術師」の仕事には、実証主義とオカルトが分かちがたく絡まり合っている。有神論者の科学者は自分の研究を自然神学、つまり自然の摂理を通じた神の意思の探求と考えることが多かった。しかし、回心後に非凡な科学者・数学者としてのキャリアを実質的に捨てたブレーズ・パスカルから、反科学的な宗教プロパガンダにさらされていなければ科学者になっていたかもしれない無数の人々まで、宗教が科学の実践を妨げた人々の例もある。社会単位でも同じくさまざまな事例が見つかる。社会学者のロバート・マートンは、イギリスで近代実験科学があの時代に発生した理由の一つはプロテスタント文化であり、また非カトリック諸国で太陽中心説〔地動説〕があの時代に普及した理由の一つは、ガリレオを冷遇したカトリック教会を太陽中心説が論破できたからだと主張した。しかし、宗教組織や社会で支配的な宗教的態度が科学研究を抑圧した例を思いつくのも難しくない。例えば、現代アメリカにおける幹細胞研究がすぐに思い浮かぶ。

もちろん、あなたが知りたいのは歴史上のとある科学がとある宗教と両立するかではなくて、最高の科学が自分が関心のある宗教と両立するか、だという可能性もある。私は科学を熟知しているわけではないし、あなたではないから、あなたに代わって答えを出す立場にはない。しかし、もしあなたが宗教を求めているのだとすれば、今こそ、それがなぜかを問うまたとない機会ではないだろうか。

18.「客観的な真実」ってあるの？

客観的な真実があるかどうかを問う場合、質問者の意図には複数の可能性がある。質問者が本当に問うているのは「真実ではなく信念――つまり普遍的に合意されているものがはたして存在するのか、それとも私たちの信念はすべて社会的立場や人生経験によって何がしかの色がついているのか」である場合もある。しかし「本当に真実について問うている」場合もある。また、「絶対的な真実があるのか、それとも真実は常に人や文化や概念枠などによる相対的なものか」という問いである可能性もある。はたまた、「心とは独立した真実が存在するのか――つまり信念や言明を真実たらしめるのは常に、ある程度は、人が対象をどう考えたり扱ったりしているかであるのか否か」という問いかもしれない。一つひとつ見ていこう。

普遍的に合意されているものがあるのかどうかは知らないが、なぜそれが重要なのか私にはかりかねる。どこかの誰かが1＋1＝3だと考えているとして、それは私がすべき考え方や行動に何か影響するだろうか（ただし、これに近似したもっと深刻な問題がある。哲学者が時に系統不安〔自分の信念の根源に対する不安〕問題と呼んでいるものだ。例えば、もし自分がリベラルであったり太陽が太陽系の中心であると信じていたりするのが、自分が今生きている時代と場所のせいであって、他の影響を受けず自分の頭でエビデンスを評価したからではないとわかったら、こうした信念に対する自信が当然ながら揺らぐかもしれない。問題は他人が自分と意見を異にすることではない。自分が信じていることが、その信念の真実とは無関係の理由によるものばかりであるのが問題なのだ）。

私の信念がすべて私個人の生きてきた条件に色づけされているのかどうかは、また別の不明瞭な問いだ。どんな場合に信念に色がつくか、考えられそうな例を挙げてみよう。

- 本人がその信念の真偽に利害関係がある。
- 感情に動かされて持つに至った信念である。
- 他の理性ある人々なら受け入れないであろうエビデンスを根拠とした信念である。
- 実は信念ではなく、情動あるいはそれに類する態度である。

考えをめぐらせれば、それぞれの意味で（完全にではなくても）多少は色のついていない、つまり客観的な信念の例を思いつくことができる。しかしこれについても、すぐ目と鼻の先にもっと優れた問いがあると私は思う。このような類いの客観性をなぜ重視すべきなのか、どんな条件下でそうすべきか。例えば、公平な立場の人、問題の案件に利害関係のない人に判断を仰ぎたい場合がある。しかし、みずから投資している人が対象を最もよく理解している場合もある（予測市場を想定して言っている）。場合によって前者であったり後者であったりするのはなぜだろう。

絶対的な真実があるのか、それとも真実は常に相対的なものなのかについては、ほぼ議論の余地なく相対的なものをなぜ相対的だと思うのか考えるのがヒントになる。右左や時刻は議論の余地なく相対的である（前者は視点によるし、後者はタイムゾーンによる）。これらが相対的だとわかるのは、意見の相違をめぐる事実の説明になるからだ。（ブルックリンにいる）私が今は午後1時だと言い、（カリフォルニアにいる）私の兄が今は午後1時ではなく午前10時だと言う時、時間のとらえ方を知らない人なら私と兄の意見が食い違うと思うかもしれない。しかしうわべとは裏腹に、私と兄の意見は完全に一致している。相対性でその説明がつく。もう一つ、もっとわかりにくい相対性をアインシュタインの特殊相対性理論に見ることができる。これは、同時性とは相対的なものである、すなわち二つの出来事がある座標系と相対的に同時に起こることもあれば、別の座標系と相対的に別々のタイミングで起こることもある、という理論の帰結である。同時性が相対的だとわかるのは、それがこの理論の帰結であり、理論が真であるエビデンスが山ほどあるからだ。*つまり、観察や実験の結果について斬新で意表を突いた予測がこの理論によって多数立てられ、立てられた予測が（一定の制約の中で）すべて正しかったことがわかっているのだ。

　したがって、何かが相対的かどうかを判断する方法は、意見の相違に関する事実から判断する方法と、相対論の実証的裏付けから判断する方法の二つがある。いずれも、真実が相対的であると考える理由にはあてはまらない。ある人がこれこれは真実であると言い、別の人がこれこれは真実ではないと言う場合、両者はふつう意見を異にしている。そして私が知っている理論の中に、結果的に的中した斬新で意表を突いた実証可能な予測を多数立て、しかも真実が相対的であるとするものは一つもない。したがって、私の知る限り、真実が相対的であると考える理由はない。

　真実は心に依存しており、あることが真実かどうかは必ず私たちの思考と行動に左右されるという考え方についてはどうだろうか。心に依存した真実はものによってはたしかにある。最も明らかな例は私たちの思考や行動に関する真実だ——例えば私が哲学を楽しむこと、私が今朝犬を散歩に連れて行ったことなど。もっと興味深い例は社会種ないし人工種とでも呼べるもので、あるものが椅子やドル札や文鎮や図書館であるのは、人がそれについてどう考えそれとどう付き合うかに依存する。私たちがふだん頭を悩ませているもののほとんどは心に依存している。明らかに心に依存していないものの中にも、実はそういうものがあるかもしれない。例えば道徳、ジェンダー、人種、色、時間の方向性に関する事実など。しかしここで問われているのはすべての真実がそうであるのかどうかだ。

答えはノーだと私は思う。もし真実が心に依存しているとしたら、心が存在しない場合、あるいは私たちの思考や行動が実際の思考や行動とはまったく異なる場合、それはあてはまらないことになる。したがって、もし例えば水が（1気圧で）摂氏0度で凍るのが心に依存する真実であったら、人間の思考や行動が異なる世界では、あるいは人間が存在しな

＊ここではお遊びの科学哲学の問題を割愛しているが、この問題は科学的な世界像と常識が両立するかを考えるうえで参考になる。アインシュタイン以前には、同時性は相対的ではなく絶対的だというのが主流の考えだった。しかしアインシュタインは同時性について厳密には何を発見したのだろうか。アインシュタインは同時性が座標系と相対的であることがわかったと言う。しかし、アインシュタインが発見したのは、同時性などというものはなく、相対的な同時性があるにすぎないことだとも言えたはずだ。また、アインシュタインはこの相対的同時性という現象を発見したが、それでも特定の複数の座標系と相対的にほぼ同時であれば、二つの事物が絶対的に同時に起こりうるとも言えたはずだ。私たちはなぜアインシュタインの理論に定説通りの解釈をするのだろうか（常識のカテゴリーの改訂や再解釈に私たちを導く他の科学的発見についても、同じ問いができるはずだ）。一応おことわりしておくと、私にはさっぱりわからない。

い世界では、水は違う温度で凍ることになる。もちろん、その世界では「水」という言葉に別の意味がある（あるいは何の意味もない）かもしれないし、温度に別の測定単位があるかもしれない。しかし要点はそこではない。「水」が水を意味する前から、温度の測定に摂氏が使われるようになる前から、人類が出現する前から、水は摂氏0度で凍っていた（嘘だと思ったら南極の氷床を確認してほしい）。だから、心に依存しない真実が少なくとも一つはある。他の例をあなたも自力で思いつくに違いない。

早い話、今挙げた事柄のいずれかがあなたの言う「客観的真実」だとしたら、私たちは客観的真実が存在するかどうかに頭を悩ませる必要は（ぜーんぜん）ない。しかし一件落着とはいかない。人が客観的真実という言葉で表現する問いは、いまだ解決されていない別の哲学的問題――系統不安や、何種類かある信念の客観性をなぜどのような場合に重視すべきか、あるものが相対的であることをどうすれば納得できるか、日常的な事柄のいったいどれだけが心に依存するのかという問題――にこれほど近いのだ。もしあなたが客観的真実とは何ぞやという会話に巻き込まれたら、礼儀正しく、だが断固として、これらもっと差し迫った問いのいずれかに話題を変えることをお勧めする。

19.「幸せ」って何？

ちょっと整理しておこう。「幸せ（ハピネス）」の意味は人によって異なるが、私はこれを主観的な幸福（ウェルビーイング）――人生が本人にとってうまくいっている要因（のたぶん一部）を構成している、心理的特性の集合についての問いとして扱おう。かりにあなたの人生がうまくいっている要因の一部が心の外側で起きていること（例えば友人や同僚から尊敬されているかどうか）だとしても、それは私が意味する幸せではないことをご承知おきいただきたい。また、私の解釈による幸せは、あなたの心の内側で起きていることのうち、幸福（の一部）が存する、あるいは帰するものであって、あなたの幸福の原因であったり相関があったりするものではないこともご承知おきいただきたい。したがって、自分が感謝している物事を数え上げたり、一定の数の親友がいたりすると幸せということはありうる。しかしこうしたことはそれだけで人生の幸せ度を上げてくれるわけではない。最後にご承知おきいただきたいのは、私の考えでは、幸せな人とは本人にとって人生がうまくいっている心理的要素を持っている人であることだ。ゴジラにとっては東京の市街を踏みつぶして歩くのが幸せかもしれない。たとえゴジラを幸せにするものが東京都民にとって好ましい結果をもたらさなくても。

しかしこれは問いの精度を少し上げるだけで、答えにはなっていない。答えにたどりつくためには、四つの説を区別するのが役立つ。

快楽説：幸せとは快楽であり苦痛がないことである。
選好説：幸せとは自分が欲しいものを手に入れることである。
人生満足説：幸せとは自分の人生に満足していることである。
情動の状態説：幸せとは一連の情動と情動的性向である。

確固たる見解があるわけではないが、私は快楽説に傾いている。第一に、私の人生があなたの人生より楽しければ、他の条件が同じとして、私にとっては私の人生の方がうまくいっているのは揺るがぬ事実と思われる。第二に、快楽説は他の説に対しては説得力ある反論にも、しっかり抗弁できる。

選好説の問題点は、自分の人生を直観的に考えて良くするわけではないさまざまなものを、人が欲しがることだ。これは、そのようなものが自分に与える影響を誤解しているからかもしれない（「今日5杯目のコーヒーを飲めば気分が良くなると思ったけど、違った」）。また、私たちの欲望が、周りに乗り遅れたくないとか、今持っているもので十分なのに最新の機器が欲しくなるとか、いわゆる内生的選好あるいは適応的選好といった、自分の人生の向上とは直観的に何の関係もない環境要素に操作されうるせいもあるかもしれない。*そしてかりにあなたの選好が誤解にもとづくものでないとしても、選好の中にはある意味、完全に他人のためのものがある。私はカナダの識字率の上昇を望んでいるが、それはカナダの人のためになるからというだけだ。私にはさしたる影響はないだろう。

こうした問題は快楽説にはあまりあてはまらない。もし快楽体験がもたらしそうな効果

---

*選好説の基本概念を、事実に反して人間に無知と不合理性はないものと理想化することにより、擁護しようとした哲学者たちもいた。幸せとはおそらく、自分が欲しいものを手に入れることではなく、例えば、完璧に合理的で最大限の情報を持っている想定上のあなたが（多少なりとも無知で不合理な）現実の自分に求めてほしいであろうものを手に入れることである。しかしこれはかなりおかしな反事実的条件〔事実に反する仮定〕だ。このパワーアップ版のあなたが何をあなたに求めてほしがるかなんて事実として存在しないかもしれない。また、これでは本文の選好説のカナダの問題を解決できない。

について私が誤解していたとしても、快楽体験をすれば、他の条件が同じとして、私はやはりいっそう幸せになる。もし私が訓練や操作によって、あるものを欲しがるだけでなくそこから快楽を得るようになっていた――例えば幼少時にピリ辛の食べ物に慣らされるなど――としても、人生でその快楽を体験すれば、他の条件が同じとして、私はやはりいっそう幸せになる。そして私は、満足させると快楽を感じるような選好を探すことによって、私の幸福につながる選好を選び出すことができる。

人生満足説にもいくつか問題がある。他人より人生の満足度が高いのが、自分にとって物事がうまくいっているからではなく、期待値が非常に低いからという可能性がある（毎日が退屈と苦痛と屈辱ばかりでも、自分にはそれがお似合いなんだとか人生に期待できるのはせいぜいこの程度だと思っていたら、その人は自分の人生にごく満足しているかもしれないが、幸せではないだろう）。また、自分の身に起こるすべてを把握しているのはとても難しいので、ある一瞬にあなたが人生にどれだけ満足しているかは、最初に頭に浮かんだ満足体験でしかないかもしれない。

この点も、快楽説では問題にならない。期待値を変えるだけですぐに人生から何がしかの快楽を得ることは、ふつうできない。そして、経験する快楽や苦痛の量に期待値が影響する場合に限定すれば（例えば、求人に応募した仕事に就けるはずと自信を持ちすぎることによって失望の下地を作るなど）、別の結果を期待するだけで、それ以外は同じ人生を送っている人より幸せになれることもありえなくはない。この場合も、人生に満足するためには、物事のなりゆきについてあらゆることを考慮に入れた非常に複雑な判断をしなければならないが、判断はいかようにも誤る可能性がある。だから、判断すべき問題はあなたが体験した快楽や苦痛の量ではない。あなたの人生が、あなたがどう考えるかと関係なく実際にどうなっているかが問題なのだ。

最後に、情動の状態説には言うべきことがたくさんある。この説は、期待値、人生全体を対象とした難しい評価、まどわされる可能性がある選好、あるいは他人のために望むことが幸せを左右する、というありえない想定はしない。また、ポジティブな情動がある人生の方が、他の条件が同じとして、ポジティブな情動のない人生よりうまくいくのは疑いようがない。しかし情動の状態説の問題は、人生を上向かせるものが情動ばかりではない点だ。つま先をナイフで刺したらあなたは怒るだろうが、つま先の痛みは情動ではない。オーガズムを感じたらパートナーはあなたをいとしく思うかもしれないが、オーガズムそのものは温かい感情や愛情などとは別物である。これらは情動に比べて幸福に与える影響はおそらく小さいが、とはいえ何がしかの影響は与える。

情動の状態説派が自説の論証に使う事例の一つが、深刻なうつ状態に陥っているが、楽しかったり夢中になれたりする活動でしばらくの間何とかうつをまぎらわせる場合だ。そういう人は楽しい生活を送るが、幸せと呼ぶのはおかしく思われる。少なくともある意味で、「幸せ」であることには異論はない。しかし、誰かの人生に関して悔やまれたり勧められなかったりするようなことは、「不幸せ」と呼ばれがちだと私は思う。そして現実から目をそらしているうつの人は明らかに悔やまれることをしている。その人は長い目で見て、正面からうつに向き合っていればなれていたほどには幸せになっていない。また、その人は非常にもろい状態にある。気晴らしに少しでも邪魔が入れば、うつが巨大な重圧となってのしかかるだろう。いい時はいずれ終わる。これらは、今だけはこの人が主観的に幸福だと言うこととはまったく矛盾しない。この人はたしかに私が関心を向けている意味において幸せである。

快楽説の主な問題は、少なくとも私が認識している限りでは、快楽や苦痛という単体の感情が存在するように思われないことだ。自然の中を心安らかに散歩する、よく休んだと感じる、気持ちよく運動する、興味深いことを学ぶ、おいしいものを食べる、笑えるジョークを聞く、これらはすべて快楽体験だが、共通点はあるだろうか。しかしこの問題はさほど重大とは思えない。すべての快楽体験の共通点を詳細に述べるのはたしかに難しいが、かなり明確な共通点が間違いなく一つある。どれもすべて快楽体験だということだ。つまり、快楽や苦痛はきわめて不均一なのではないだろうか。種類の異なる快楽は一定の制約の中で同じ基準では測れないのではないだろうか（気の利いたダジャレと充実した昼寝の現行為替レートはいくらだろう？）。しかし、そういうものだ。ならば種類の異なる幸せだってそういうものなのだ。

私たちが幸せを本気で重視しており、快楽は幸せと比べると小さくてささいに思われるから、幸せは快楽にまさるものであるはずだ、という前提に立てば、快楽説に反論できるかもしれない。しかしこの反論は、小さくてささいな快楽を想定している時にしかできないように思われる。人を深く愛したり、意義のあることを大きな困難を乗り越えて達成したり、心が触れあい人生が変わるような会話をしたりすることは快楽だ。これらを快楽と呼ぶのはけっして軽視しているわけではない。快楽がすべてささいなものばかりではない、とあらためて気づかされるだけだ。

あるブース訪問者と経験機械をめぐって話し合った。何でも望み通りの経験ができる機械に入れたとする。例えば高名なバイオリニストになりたければ、高名なバイオリニストの人生が経験できる。しかしそれは本当の経験ではないし、一生その機械の中で過ごさなければならない。実世界で負っている責任は度外視して、あなたはその機械に入りたいだろうか（入りたくないとすれば、幸福〈ウェルビーイング〉は幸せ〈ハピネス〉にまさることになるのだろうか）。

相手は入らない派としてあざやかな論証をした。自分が何によって幸せになるかは、新しい状況に放り込まれて、新しいことを試し、それをどれだけ気に入るかを確認してわかる。自分が好きなものは発見しなければならない。経験機械に入っても、すでに発見済みの好きを持ち込むだけだ。経験機械が経験させてくれるのがそれだけだったら、まだ知らない喜びを経験しそこなうリスクがあるのではないだろうか。

20.「無意識」ってあるの？

心的状態の一部が無意識かどうかという問いだとすれば、答えはイエスだ。ざっくり言うと、対象に注意を向けているだけでそれが何かわかっていない場合、その心的状態は無意識である。対象が何であるかを知るのは推論という間接的な手段によってだ。そういう意味では、心的状態の大部分はおそらく無意識である。

例えば、あるものを鳥かどうか判断せよと言われた場合、あなたはたぶん、ダチョウの写真を見せられるより鳩の写真を見せられる方が早く正確に解答するだろう。あなたは鳥のステレオタイプを持っており、鳩の方がダチョウよりもそのステレオタイプに合致するのだ。このステレオタイプが一種の心的状態である。

しかしそれは、（数ある手段の中でも）事物を鳥に分類しようと試み、なりゆきを観察するという間接的な手段によってしか知ることができない。したがって、このステレオタイプは無意識である。

もっとドラマチックな例を挙げると、脳にある種の損傷を受けた人々は、本人が自覚する限りでは、視野の半分が見えない。視野の見えない方の半分に物体を置いてこれは何かとたずねると、「盲視〔脳の損傷により視野の半分が知覚できないにもかかわらず、見えない視野にあるものについて脳が情報処理できる現象のこと〕」患者はしごく当然に、わからないと答えるだろう。しかし当ててみてと言うと、驚くことに、正確な答えを返す。また、見えない側に障害物を置くと、よけて歩く。したがって、彼らは見えない側の物体を感じとれているのだが、自身の行動を観察することによってしかそれがわからない。（盲視は他にも興味深い哲学的な問いを山ほど提起する。盲視患者は目の前に鉛筆があるということを判断するが、このように間接的な方法によってしかわからない場合、彼らは目の前に鉛筆があることを知っているのだろうか。このことは知識の概念にどんな知見を与えてくれるだろうか。盲視は視覚情報が無意識にあって他は無意識でない時に、人が視覚情報を利用できることを教えてくれる。このことは、意識が何のためにあるかについて何を示唆するだろうか）。

今日、人々が無意識の存在を疑っているとしたら、それは無意識に関する特定の理論――フロイト、母親、幼児期の排泄のしつけ、などの精神分析理論自体に疑いを持っているからだと私は推察する。ごく最近になって、哲学者と心理学者はあらゆる心的状態は当然のように意識であると考えるようになった。大半の哲学者と心理学者は無意識についてフロイトと同じ考え方はしていないわけだが、無意識が常識として定着した事実はフロイトの功績といえるだろう。

しかし常識の多くがそうであるように、無意識は一般的な共通認識では全然ないのに、妙にまぬがれがたいものという感覚がまとわりついている。無意識は幸運にもエビデンスの裏付けを得られたが、同様の科学的裏付けを得ていない常識には警戒するのが健全な習慣というものかもしれない。

にぎやかな小学生くらいの子供たちを連れた家族が何組かブースに立ち寄り、母親の一人が娘に哲学の質問があるかとたずねた。「フロイトとユング、どっちがえらいの？」。話しているうちにわかったが、この子は二人の哲学者・心理学者について驚くほど知識があり、人間が自分の夢をどれほどよく知っていて、夢が人間に対してどんな働きをするかに関して、この子なりの興味深い発言をたくさんした。しかし私は、こんな幼さですでに哲学についての質問とは偉大な哲学者について質問することだと理解しているのを、少し残念に思わずにいられなかった。何が言いたいかというと、過去の碩学（せきがく）について語ったり、もっと一般的に、他人の考えを理解しようとしたりするのはいい。でも、どうか、どうかお願いしたい。あなた自身の考えを大事にしてください。

21.「二元論」はどうすれば克服できる？

「哲学者だけど質問ある？」ブースを始めた当初、私はほとんどの人が社会政治哲学や個人的な倫理問題の質問をしてくるだろうと予想していたように思う。何といってもそれが、ただニュースを読んだり、周りの人々とうまくやっていこうとしたりするだけで、向き合わざるをえない哲学上の問題だからだ。ところが私の予想は外れた。人々に考えていることを話す機会を与えてみれば、とてつもなく抽象的だったり、思弁的だったり、でなければ非現実的な問いが続々と出てくる。まるで世間でも大流行しているみたいなのだ。希望は持てるがシュールな図だ――この人たちは皆、こんな変なことを考えるのは自分だけだと思うような問題に頭を悩ませながら街中を歩いている。周りもほぼ同じことを考えているとも知らずに。ともかくも、この質問は二人から、一週間おいて連続で、そっくりこのままの言葉で出された。

当然ながら、「二元論」が何を意味するかによって答えは大きく変わる。二元論が白か黒か、つまり排他的かつ網羅的な分類でものを考える傾向だとすれば、二元論の問題点は明白だ。微妙な部分を見えなくしてしまう。この手の二元論に対抗する一つの方法は、こういう問題があると心に留めて、できるだけグラデーションや連続性や微妙な部分に注意を向けることだ。段階的な尺度や連続体として見るのがふさわしくない場合も、時にはあるだろう。場合によりけりで、善か悪か、健康か病気か、精神か肉体か、自然か人工か、女性的か男性的かに二分できないものもあれば、中間はありえないものもあるだろう。

しかし、ブースの訪問者が悩んでいたのはこれじゃないと思う。彼らにとっての二元論とは、深いところでは密接に絡み合っている物事を分けて考える傾向だ。それは例えば神学の形をとって表れる。神はこの世にあるのではなく、この世を超越した存在だとする考え方だ。神秘体験の壮大な感覚、事物同士の違いや自分と周囲の世界の違いなど因襲か幻想か、ともかく見た目ほどの意味はないと感じたい願望の表れでもあるかもしれない。

この意味での二元論を克服する方法はいくつかある。古代ギリシャのエレア派の哲学者は純粋な推論だけを根拠に、事物同士の外見的な違いはすべて幻想である、あるのは文字通りたった一つの永遠不変の存在だけであると論証した。エレア派哲学の最も有名な功績はゼノンの運動のパラドックスだ。物体がある点から別の点に移動するためには、まず距離の半分を移動し、それから残り半分の距離を、さらにその半分の距離を……延々と移動しなければならない。目的地点に到達するために移動しなければならない距離の数は無限であり、だとすれば移動は不可能だから、運動は不可能である。

しかしこの種の論証では、彼らの結論に納得していない人を説得できそうにない（第一に、無限の距離を移動することと無限にある距離の数の総和を移動することは違う）。常識同士が論理的に矛盾する場合があることを私は疑わない。* しかし最低限、**この世の存在が一つよりも多いと想定するのは、論理的に何も矛盾していない。**

別のアプローチとして、事物同士は明確に異なっているが、あらゆるものがその一部を構成している、つまりあらゆるものの土台になっている一つのものがあるのだという論証もできる。例えば、二つの事物には必ずその二つを部分として持つ全体があると想定してみよう。だとすると、**宇宙は他のすべてをその一部とする全体と考えられるかもしれない。したがって、まったく無関係に見える事物でも、少なくともその点だけは共通している。どれも同じ全体の一部なのだ。**

*会えない時間が愛を育むと言われる一方で、去る者は日々に疎しともいう。

この考え方に似た思想をもっと詳細に練り上げ、人が神秘体験から得ると思われる形而上学的な洞察をより明晰に述べたのが、17世紀の哲学者バールーフ・スピノザの著書『エチカ』である（少なくとも私がスピノザを正しく理解しているならば）。世界の基本構造に関心を寄せる哲学者は多い。実在の最も基本的な構成要素は何か、私たちが見慣れている物体はその要素からどのように構成されているのか。そもそもこの章の文脈に沿った意味で「基本的な」構成要素とは何か。それは哲学者がかつて実体と呼んだ（今でも時々そう呼んでいると思う）もの――他とは独立して存在しうるものである、というのが一つの考え方だ。スピノザはまさしく一つの実体が存在すると主張している。（神、自然、お好きな呼び方でかまわない。）* この実体には思惟と延長（または精神と空間）などいくつかの属性がある。これらの属性にもさまざまな「様態」があり、その様態が日常生活の事象である。

スピノザの説では、私にとって背が高いとはどういうことだろうか。ざっくり言うと、神の延長の一つの形が「イアンは背が高い」なのだ。言い換えれば、私たちが経験している日常世界は神性の多様な特性の集まりで成り立っており、唯一の基本的要素は神である。スピノザの説の長所や短所については何とも言えないが、この世のしくみについての基本的な信念を手放す――受け入れがたい、あるいは人間として不可能な形で――ことなく、事物が実は互いに分離した存在ではないという思想をうまく成立させていると私は思う。

最後に、多種多様な事物を結びつけるおおむね偶然の、経験的なつながりを思い出そうとしてみてもよい。地球上のすべてのものは星屑でできているというのはよく聞く――感動的だからというだけの理由だが――主張だ。あらゆる生物種は無数の他の生命のおかげで命をつないでいる。あなたも、あなたの愛犬も、シロナガスクジラも、すべての胎盤哺乳類は、推定によればたった6500万年前に生きていた共通の祖先から派生した。人体は必ず土に葬られ、放置すればせいぜい数年で完全に土に還る。あなたの知識のほとんどすべては他人の証言から学んだものだ。わずかな例外はあるかもしれないが「人間の大人が今生きているのは何百万時間もかけて誰かが育ててくれたおかげだ」などなど。どれも初めて聞く話ではないだろう。しかし、だったらなぜ、私たちはそのすべてをいとも簡単に忘れてしまうのだろうか。

＊スピノザの主張は難解で繊細な推論だ。しかしこれが真実かもしれないと考えるべき率直な、いくぶん直観的な理由が少なくとも一つある。かりに何らかのものが存在するなら、すべてを含む全体が存在する。したがって、すべてを含む全体から独立して存在しうるものはない。よって、最大限一つの実体、すなわちすべてを含む全体が存在するのだ。

二元論の問いを持ちかけたうちの一人は、アダムとイブの話にあっと驚く解釈を披露してくれた。この話を私たちはふつう、人間の弱さとか恩知らずとか反逆の話だと考える。イブは単に意志が弱いか善良さが足りなかったためにリンゴを食べずにはいられず、アダムを堕落の道連れにしたのだと。ところがブースの訪問者は、この話の本当のテーマは、イブが善悪の知識の果実を食べたことではないと言い出した。イブの過ちはヘビの誘惑に負けたことでも神の言いつけを忘れたことでもなく、善悪を信じるようになってしまったことだ。この小さな二元論が人間の悩みの根源なのではないか。

実際には私はそうだとは思わない（イェイツの詩「再臨」じゃないが、「最良の者たちがあらゆる信念を見失う」〔高松雄一編、岩波文庫『対訳 イェイツ詩集』より〕ようなことではないか）。しかしアダムとイブの話への理解が前よりも深まった。

22.「時間と空間」って客観的に実在するもの？

まいったね。

これは、よく言われる時間と空間が絶対かそれとも相対かという問いとして扱おう。絶対空間説の典型例はニュートンの説だ。ニュートンは座標系（参照系ともいう）は一つであり、座標系における物体の速度がその物体の真の速度だと考えた。座標系内の2点間は常に同じ距離である。ニュートンの説では、運動の最も基本的な事実は、座標系内で物体が時間の経過にともないどのように場所を変化させるかの事実に等しい。座標系によって記述される空間は厳密には物理的空間ではないが、その中で起こることとは独立して存在する一種の事物である。最低でも、かりに物体が他の物体に対して相対的に移動していなくても（例えば、宇宙全体が一定の方向に一定の時速1キロで移動している場合）、物体が座標系に対して相対的に移動する可能性は想定できる。

ニュートンのバケツ実験

回転していない

バケツが回転しており、水面は平らである

バケツと水が一緒に回転し、水面にへこみができる

Jeroen van Engelshoven, "Study on Inertia as a Gravity Induced Property of Mass, in an Infinite Hubble Expanding Universe," *Advances in Mathematical Physics* (2013)より引用。

ニュートンが絶対空間を信じた理由の一つは、有名なバケツ実験に由来している。これはあなたも自宅で挑戦できる（上にイラストの説明もつけた）。バケツに半分まで水を入れ、紐で吊るす。バケツを何回か回して紐をしっかりねじる。バケツを止め、手を離す。最初は、バケツは水よりも速く回転し、水の表面は平らなままだろう。しかししばらくすると、水もバケツと同じ速さで回転し始め、水の表面がへこんでくる。つまり、バケツが水に対して回転している間は水面は平らだが、バケツが水に対して回転しなくなると水面はへこむのだ。したがって、水がバケツと相対的に運動している時は水面は変わらないが、水がバケツと相対的に運動しなくなると変化する。ニュートンは、水をへこませるタイプの運動は相対的ではありえない、したがって絶対的であるに違いないと推論した。つまり、水は絶対空間で回転しているはずだと考えたのである。

ニュートンの説が正しいかどうかを問うことによって、空間は客観的に実在するかという問いにアプローチできる。ニュートンの説は、いくつかの異なるが関連性のある主張をしており、次のように分解できる。

特異性：機械論的な説明を行う必要上、他のすべてに比べてより重要な座標系がある。
永遠性：任意の二つの空間点の距離が常に同じである座標系がある。
優先性：物体同士の空間的な関係についての事実が、原則として、それらの物体の場所と速度に関する事実で最終的に説明され、その逆ではない。
実体説：空間はその中で起きることとは独立して存在する。

これらの主張のうちどれに説得力があるだろうか。

説明上、すべての慣性座標系は同等だから、**特異性は誤りだ。**バケツ実験について、最小限の仮定で行う現代的な説明は絶対空間に依拠しない（ざっくり言えば、水面がへこむ時、水は慣性座標系で回転しているからだ）。また、単一の優先座標系（物理法則が他の座標系においてとは明確に異なる（より単純である）ように見える、特別な仮説上の座標系）を特定しようという他の試みは別の理由で失敗している（例えば、物理学者のヘンドリック・ローレンツはアインシュタインの特殊相対性理論とそっくり同じ予測を行いながらも、「エーテル」が静止している座標系を優先する理論を発展させた。問題はエーテルなるものがどう見ても存在しないことだ）。

一般相対性理論では二つの空間点の距離が空間の歪みによって変わり、空間の歪みは宇宙における物質の分布が変化すれば変化するため、**永遠性は誤りだ。**宇宙における物質の分布はたえず変化しているから、空間における任意の2点間の距離はたえず変化しているのだ。

優先性については一致した見解がない。相対性理論について、物体同士の空間的関係を優先して他の関連する概念をこの観点から定義する「関係主義的な」説明もある。しかし、この理論について逆の定義をする説明もあり、実験上は両者の区別がつかない（姉を女性のきょうだいと定義することと、きょうだいを兄または姉と定義することの違いにちょっと似ている）。ある方向に導く考察と別の方向に導く考察の違いがどうも不明瞭だ。少なくともどちらのアプローチが正しいかについて合意がないので、どちらかに寄った意見を私は絶対に持たない。

実体説についても一致した見解がない。時間と空間が単一の四次元の時間・空間の次元だとしたら、互いに独立した存在ではない。そしてもし時間・空間の歪みが宇宙における物質の分布に依存しているとしたら、時間・空間の特定の形態はその中で起きることに依存する。しかし、時間・空間が実際に発生する事象とは独立して有するかもしれない特性がある――例えば、ゼロでない宇宙定数が存在するなら、空っぽの宇宙でさえ膨張する傾向があるだろうという場合だ。いずれにせよ、実体説の解釈については合意が存在しないが、もしも時間・空間がその中で実際に起こる事象とは関係なくある特性を持っているという見解を取るとしたら、それは原理上、実証的に調査可能なものとなる。

ふう。この問いが片づいてホッとしている。直前の数段落で私の物理学の知識を総動員したと思う。

23. なぜ？

人が真面目にこの類いの質問をするのは、ホワイトノイズ発生器（あらゆる周波数を含むノイズを発生させることにより、生活音などの物音が気にならなくなる効果がある装置）を作動させる時と少し似ている。何らかの知的な不安を抱えていて、話すことで誰かにその不安から救い出してもらえる、せめて気をまぎらわせてもらえるのではないかと期待しているのだ。世の中にはもっと明瞭明快な質問があるが、私はこうした期待に応えるにやぶさかではない。

質問者が食指を動かしそうな答えはいくつか考えられる。「なぜ？」は、私たちの日々の行動を**正当化**するものが、かりにあるとすれば何かという問いととらえることもできる（「なぜ朝起きるのか？」）。何かの**目的**もしくは**意味**についての問いととらえてもよいだろう（「なぜ私たちは生きているのか？」）。しかしあなたはたぶん、これらについてはすでにさんざん考えてきたはずだ。だからこの質問に対して、もっとありきたりでない、もっと知的好奇心を刺激しそうな解釈を試みよう。つまり、説明というもの全般について問われていると解釈するのだ。**「なぜ？」という質問が正当化や理由づけではなく説明を求めているのだとしたら、何が正しい答えになるだろうか。**＊

説明によって私たちは、物事を理解し、新たな推論に導かれ、（少なくとも自力で説明をつけた場合には）新しい情報を記憶したり新しいスキルを身につけたりできる。科学の営みはその大部分が、事物の説明を考え出して実験することに捧げられている。となれば、私たちにとって説明が重要であるのは明らかだ。しかし説明とは何か、これを単なる記述や予測と区別して定義するのはきわめて難しい。何しろ世の中には多種多様な説明があふれかえっており、その共通点はさだかでないのだから。

説明の機能をよく理解する一つの方法として、説明に関する有力な理論を取り上げてそ

＊一つ問題点：説明を求めるタイプの「なぜ？」はさまざまな意味をこめてなされる。特に、対比的な意味でなされるものが多い（全部そうかな？）。哲学者のピーター・リプトンが挙げた例を引用すると、（1月ではなく）11月に黄葉するわけを説明するのと、11月に（葉が青くなるのではなく）黄葉するわけを説明するのではまったく話が異なる。「なぜ？」という質問への答えとして成立するかどうかは、何について説明しようとしているかによるのであり、その何かはとらえにくく、明示的に語られない場合が多い。

の利点と欠点を考察してみよう。20世紀における、説明の本質をめぐる哲学上の議論は、おおむね元をたどれば演繹的法則的モデル（ＤＮ）である*。ＤＮによれば、ある事実の妥当な説明とは、その事実について自然法則から導かれる演繹的推論、場合によってはそれに、特定の条件下でその法則がどうあてはまるかに関する事実を添えたもの、となる。例えば、私がモノクロ版のテトリスで遊んでいて、あるブロックが別のブロックの反転したものかそれとも回転したものかを判断しなければならないとする。90度の回転より１８０度の回転の方が判断に時間がかかる。なぜか。ここには自然法則が働いている。すなわち、ある形を別の形が回転したものと判断する場合、判断にかかる時間はその形の回転度数の正の一次関数なのである。具体的な事実だけでなく、自然法則そのものの説明についても、ＤＮを使えば辻褄が合う。例えば、ニュートンの重力の法則と運動の法則が太陽系にかなり正確にあてはまる理由が一般相対性理論で説明できるのは、ニュートンの法則はアインシュタインの相対性理論のいわば限定的な事例だからだ。ニュートンの法則は、超高速で動いている物体がなくその場所では時空が平らである場合、ないし光の速度は無限大に近づくと仮定する場合、だいたい成立する。またＤＮを使えば、物事の説明が複数ありうる、つまり、ある事実を自然法則から演繹的に推論する方法が一つではない理由も説明がつく。

もう少し視野を広くとって見ると、説明というどちらかといえばあいまいな作業が、それとは別の、例えば記述や予測といったもっと整然とした科学の営みとどう整合するのかに、DNは理屈をつけてくれる。説明とは自然法則にもとづいた一種の予測である。自然法則が世界の永続的な特徴である限りにおいて、私たちが説明できることはある意味、私たちが初めから予測していたはずのことなのだ。あなたが私と同様、不可解なことが気持ち悪く感じる人だとしたら、この理論の魅力はここにある。

このように、DNは説明の種類によってはおさまりがよく見え、他にもいくつか抽象理論上の利点がある。ただし、今から挙げる重大な制約がある。

理想化した説明

一般に流布している説明の中には、事実として不正確だとわかっている前提に立ったものがある。例えば、気体の入った容器が縮むと圧力が増す理由を説明するのに、ボイルの法則が使われることがある。しかしボイルの法則は、実在しない「理想の気体」にしか厳

＊演繹的論証は、推論する者が間違えない限り前提から必然的に結論に至る、推論の連鎖である。したがって、論証の構造だけからしても前提が正しければ結論は必ず正しい。「法則的」とは法則が関わっているという意味だ。

密にはあてはまらない。また、生物学では、ある形質がウサギの個体群にどのように拡散するかを説明するのに、その個体群の規模を無限と想定したモデルを使うことがある。もっとも、これはＤＮの重大な問題点ではないのかもしれない。当該の気体の挙動が理想の気体とだいたい同じとか、そのモデルがウサギのこれこれの特徴をだいたい正確に捕捉している、という旨の前提を加えればいいだけのことだ。それはそれでまた別の問題が出てくるが。

自然法則

　自然法則とはそもそも何だろうか。一つの定番の答えは、自然法則は反事実的条件を裏付けるという点において他の普遍汎化〔任意に選んだ対象の性質を証明することによって、すべての対象がその性質を持っているとすること〕と異なる、というものだ。例えば、地球上で月から最も近いか月と反対側の地域が満潮になるのは自然法則である。したがって、この法則は反事実的条件下でも成立する。つまり、今は月の反対側にない地域が過去に反対側にあった場合、その場所では満潮になっていたはずだ（「私の家族は全員、身長が4フィート〔約１２２センチメートル〕以上ある」と比較してほしい。これは反事実的条件下では成立しない。なぜなら、もし家族の中に赤ちゃんがいたら、家族全員が4フィート以上あることにはならないからだ。したがってこれは自然法則ではない）。しかし、もしこれが正しいとすれば、二つの理由からおかしい。第一に、反事実的条件は個別事例ごとの、あいまいなものだ。科学的説明とされるものの定義に反事実的条件が重要な役割を果たすとしたら、その結果、あいまいさとは対極にある、絶対に何事にも左右されない、数学的に洗練された科学の営みとみなされているものが、きわめてあいまいなものになってしまう。第二に、反事実的条件は私たちのいる現実とは別の可能世界で起きることを述べたものという体裁をとっている。なぜ私たちの世界の自然法則に関する事実、つまりその根拠が、別の世界で起きることに依存しなければならないのか。うまい逃げ道があるのかもしれないが、それを見つけるには「自然法則」について別の定義が必要になるだろう。

説明の非対称性

再び月と満潮を例にとろう。ある場所が満潮になっている理由を知りたい場合、前述した法則を引き合いに出したうえでその場所が今は月の反対側にあることを付け足すだけで立派な説明になる。しかし、なぜ月がその場所の反対側にあるのかを知りたい場合にはどうする？　では、当該の法則に加え、その場所が満潮になっている（そしてその場所は、その日を過ぎてからだんだん月に近づいていく）という事実から演繹して理由を導き出せよう。いや、これはナンセンスだ。月の位置は満潮の理由を説明するが、満潮は月の位置を説明しない。問題は因果関係の向きにあるように思われる。月からの重力波が地球の海面に届き、潮の満ち干を引き起こすのだ。だが潮の満ち干は月にたいした影響を及ぼさない。

説明の無関連性

自然法則が反事実的条件を裏付ける汎化だとしよう。わかりやすい例として、私は生物学上の男性だが、妊娠しないよう用心に用心を重ねるため（女性用の）避妊薬を飲むと想定してほしい。これは、避妊薬を服用する生物学上の男性は妊娠しないという自然法則と一致する。したがって、私が妊娠しない理由は説明がつく。避妊薬を服用する生物学上の男性は妊娠せず、私は避妊薬を服用する生物学上の男性だからだ。しかし当然ながら、私が避妊薬を服用するという事実は無関連である。かりにピルを服用しなかったとしても私が妊娠するはずはない。だから、ある事実の正しい説明とは、いうなればその事実を説明するうえで関連性があるものを特定することだ。自然法則は、それを使って演繹的に導かれる事実すべてに対して説明上の関連性があるわけではない。

非法則的説明

時として私たちは法則を持ち出さずに物事を説明する。花瓶はなぜ割れたのか。私が落としたからだ。法則は不要である。かりにこの状況に法則を持ち込みたくても、何の法則になるのかさだかではない。というのも、落ちた花瓶が必ず割れるわけではないからだ。おそらく落ちた花瓶のほとんどは割れない。別の例で見てみようか。私たちはよく、歴史上の事件を一種の物語仕立てにして説明する。ドイツはまず第一次世界大戦に負け、それから不況に陥り、そののちナチスが政権の座に就いた、といった具合に（だいぶはしょったが）。しかしここにどんな歴史法則が持ち出せるか、思いつくのは容易ではない。戦争に負けた国はその後必ず経済不況に陥るだろうか。経済不況は必ず独裁主義をもたらすだろうか。それはあやしい。当時の特定の状況下において、偶然あのような展開になっただけだ。

グダグダな証明

数学的事実（そして、そんなものがあるとすれば道徳的事実）を説明しようとすると、興味深い疑問がいろいろ浮上する。数学の定理はすべて、少なくとも普遍汎化である定理はすべて、自然法則なのだろうか。もしそうであるなら、自然法則から演繹的に導き出される自明の、言い換えれば何の発見にもつながらない数学的事実は山のようにある。1＋1＝2になるのはどういうわけだろうか。「1＋1＝2＋0が自然法則であり、1＋1＝2はその当然の帰結だからだ」と言っても答えになっていない。しかし、かりに例えば特定の公理だけを真の数学的法則であることにしても、その法則から演繹的に導かれる結論がすべて説明になるわけではない。例えば、新しい定理を証明するようプログラミングされたコンピュータは、時として、いわば電話帳サイズの証明、つまりあまりにも長々しすぎて人間の数学者には理解できない証明をはじき出す。たとえこのような証明が成立しても、それが結論の説明になっていると考える人がいるとは思えない。人が数学的説明について語る時、それは少なくとも当該の事実に対する理解と緊密な関係がある。そして理解とは何らかの心理状態だ。しかし自然法則から演繹的に何かを導き出すだけでは理解は保証されないし、さらに言えば何らかの心理状態も保証されない。

✣

ひょっとしたらいつか、こうした問題に一括して応じる説明理論が発見されるかもしれない。あるいは数種類の説明が存在していて、私たちにせいぜいできるのはそれぞれを理解することなのかもしれない。いずれにせよ、**満足のいく説明理論は説明の理想化、関連性、非対称性、非法則的な物語仕立ての説明、説明と理解のつながりをカバーしたものでなければならないだろう。**本書を手に取ってくれたほどの分別があるあなたこそ、その大仕事をやれる人だと私は見込んでいる。

小さな男の子にリンゴはなぜ赤いのとたずねられ、私はまっさきに頭に浮かんだ、生物学者から昔聞いた赤いリーフレタスに含まれる補助色素の話をした。ところが男の子は不敵な笑みを浮かべ、本当にしたかった質問を繰り出した。「なぜ？」「何についてのなぜ？」「なぜ？」

男の子の母親は家でこれを何度もやられているのだろう、あきれ顔をした。「お兄さんはあなたの質問に答えてくれたでしょ。『なぜなぜ』言わないの！」

他の哲学者が助け船を出し、なぜという問いに四通りの答え方をするアリストテレスの「四原因説*」を簡単に解説して話題を変えてくれた。男の子は納得してくれた。

およそ1時間後、20代の男性二人組がやってきた。二人はしばらく前からブースを遠巻きに眺めながらあたりをうろうろしていた。ようやく一人が近づいてきて、質問した。「なぜ？」。今回は話題を変える構えができていたので、私はすぐに説明の本質の話に入った。

彼らのふっかけた問いは、ネットでいえば煽（あお）りみたいなものだった。しかしまた、悪意のない煽りは哲学的会話のとっかかりとしてそう悪くないのかもしれない。

＊四原因説：質料因は事物の素材となっているもの。形相因は、私なりの説明をすれば、事物の形相つまり原型、要するに事物の本質を何らかの分類法の中に位置づけて述べたもの。作用因はその事物に時間的に先行し、それを生じさせたもの。目的因は事物の目的、つまりそれが何のために存在するのか、あるいは何をするためのものか、である。

パート2
身近な質問

1.「愛」って何？

多くの人が愛を情動だと考えている。惜しい。愛は情動ではない、情動はたいていの愛ほど長続きしないからだ。眠っていたり、他のことで忙しかったり、相手に腹を立てたりしている時でも愛するのをやめるわけではない。

しかし、もし相手が離れていきそうでも不安にならなかったり、相手が苦しんでいても心が乱れなかったり、相手を見て少なくとも時々は幸せになったりしなければ、あなたは相手を愛していない。**したがって愛とは、おそらくとりたてて言うなら、特定の状況下においてある人物に特定の感情を抱く性向なのである。**

でもこれでは物足りなくないだろうか。愛って何？　とたずねる時、人は愛について深くて意外な何かを知ろうとしているのだ。私に言わせてもらえば*、愛とは情動的性向の集まりであるという考えは、真理とはいえ、あまり深みも意外性もない（人が愛とは何かを語ることに非常に慎重なのはそれが理由ではなかろうか）。

うまいやり方は、新しい問いを見つけることだ。心の問題に関して必ずできる哲学的な問いの一つで、興味深い答えが確実にあると私が思うのは、情動の合理性についての問いである。というわけで……次に続く。

＊この本を手に取ったということは、私の意見を聞いているんですよね？

2.「人が人を愛すること」が合理的なのはどういう時？

情動と情動的性向について、私たちは適切か不適切か、合理的か不合理かという言い方をする（敬意のこもった扱いを受けて怒ったり、目も当てられない失敗を得意がったり、無害とわかっているものを恐れたりする人を思い浮かべてほしい）。考えてみるとおかしなことだ。**私たちがある信念や言明を合理的とか不合理だと言う時は、その信念や言明を真実とするエビデンスがある。しかし愛や怒りに真偽などない。**

ある情動が合理的なのはどういう時かを考える一つの方法は、その情動が何のためかを考えることだ。私たちはなぜこの情動を進化させたのか。私たちの情動の生理は今日の暮らしと調和するために、文化と個人的な成長過程によってどのように調整されてきたのか。情動が生理、文化、個人の成長過程によって特定の状況下で「発動する」よう準備されたのだとすれば、別の状況下で発動したらそれはある意味、暴発したことになる。だとすると、人を愛するのが合理的なのはどういう時かという問いは、私たちはなぜ愛する能力を進化させたのか、私たちの育った場所や育ち方にその能力がどう影響されたか、という問いになる。愛が恋愛のことだとすると、進化説にはつがい形成と再生産が関係し、文化説には伴侶とともに暮らす心理的利点と経済的利点が関わってくるだろう。詳しくは生物学者と人類学者に話を聞かねばなるまい。

しかしまだ手をつけていない、愛に関する哲学的な問いは他にもたくさんある。例えば、自分が誰かを愛しているとどうやって自覚するのか。さまざまな種類の愛――恋愛、家族や子供への愛、友愛、自己愛、ペットへの愛、活動への愛――の共通点があるとしたら何か。社会の期待に染まっていない真正の愛とはどんなものか。そんな愛ははたして可能なのか。また望ましいのか。

3. 異性愛か「同性愛」かは生まれつき?

昔からのある友人は幼くして自分はゲイだと自覚した。7歳頃に両親に連れて行ってもらった映画『アラジン』で、彼は主人公に対する自分の反応が周囲と違うことに気がついた。主人公の青年だけをずっと目で追っていたのだ。自分がアラジンとどうしたいのかははっきりわからなかったが、アラジンに恋のようなものをしていることはわかった。こうして彼のゲイ人生は始まった。

もちろん私の友人だけではない。幼少期に大人の男性や少年に呼び起こされた感情について語るゲイの男性は大勢いる(『アラジン』のヒロインのジャスミンに恋した女の子もきっとたくさんいるに違いない)。そしてこの種の話を話の主が生まれながらの同性愛者である決定的証拠と取る人は多い(自分が異性愛者であると気づいた時の話はなぜかあまり聞かない)。

こうした話が基本的には正しくて、話の主が語る人生の物語でしばしば重要な役割を果たすことは疑わないが、少し誤解されているように私は思う。理由は、これが同性の誰かに惹かれる気持ちに気づく話だからだ。しかしゲイは単に同性の誰かに惹かれる人ではない。ゲイとは（おおざっぱな言い方だし、他にも要素はあると思うが）同性の人々にほぼ限って性的に好む人である。性行為の種類とか体型などではなく性別に対して性的好みを持つという考え方は、歴史的には新しい。例えば古代ギリシャでは、性的に受け身を好むか能動を好むかで人を分けた。古代ギリシャ人は自分が同性に惹かれていると初めて気づいた時のことを、自分がゲイとかバイであると知ったエピソードとして語りはしなかっただろう。

もちろん、いにしえの人々が（多少の例外は除き）ゲイについて語らなかったという事実だけでは、今日とほぼ同じ比率でゲイがずっと存在していなかったことにはならない。しかしゲイがかつても存在していたとしたら、一つ謎が残る。人類の中にこんなに多くのゲイがいることが発見されるまでに、なぜこれほど長くかかったのだろうか（お忘れなきよう、同性同士の性行為はずっと以前から知られていた）。ここでもう一つ、性的発達に関してそれほど謎のない説明がある。人は誰でも、ありとあらゆる性的性向を生まれながらに持っているというものだ。その性向が性的に興奮したり快楽を覚えたりした体験によって磨かれ、私たちの社会集団で認知されている性的指向のカテゴリーに導かれていく。したがって、ある人には例えば性的に能動側を楽しむ生来の性向があるかもしれない。ポルノを見たりパートナーといろいろ試したりするうちに、その人は自分が特定の種類の性行為を楽しむことに気づく。その人がレザーダディ〔革のハードゲイ風ファッションの中高年男性〕と呼ばれるタイプの人がいることを知り、自分がそのタイプにあてはまることを認識すれば、ハイ、レザーダディのできあがり。おそらく純粋に生まれつきの理由から同性だけを好む人もいるだろうが、何千年もの間ほとんど存在を知られずにきたのはその数が少なかったためにちがいない（いうまでもなく、もし大半のゲイが生まれながらのゲイだとしたら、一卵性双生児の兄弟がゲイの人はほとんどが自分もゲイであるはずだ。性的指向が一部遺伝することを示唆するエビデンスはあるが、この場合はあてはまらない）。ほとんどのゲイはおそらく、生まれた後のどの時点かでゲイになる。

　これでは説得力がない（あるいは癪にさわる）と思われるとしたら、それはこの問いが公共の言論においてどう表現されてきたかが原因かもしれない。**人は生まれながらにゲイであるかもしくはみずからの選択としてゲイになる、というのが世間一般の通念だ。**みずからの選択としてゲイになるという考えはばかげて聞こえる、というのは実際にばかげているからだ（特定の一人に惹かれるかどうかも自分の意思で選択するのは難しいのに、まして特定のジェンダー全体が対象ならなおさらだ）。

しかしあたりまえの話だが、人が持っている他の特質について、それが選択したものか生来のもののどちらかであるはずだなどとはまず思わないだろう。人は生まれつき猫より犬が好きなのか、それともみずからの意思で猫好きではなく犬好きを選択するか。どちらでもないに決まっている。一つには、私たちは犬や猫が何であるかを知らずに生まれてくる。また、猫好き——そして猫を愛したが最後まぬがれない、報われない片思いの人生——を意図的に選択するなんて、考えるだにばかげている。

4. 男が「男である根拠」って何？

　この問いの周辺には実に微妙な問いがたくさんある。性差の生物学的な根拠は何か。社会的なアイデンティティ——社会集団にまがりなりにも認められていて、私たちが行動予測や道徳的解釈に利用する役割やカテゴリーは、どのように創られ形成されるのか。個人のアイデンティティ——自分について考えたり表現したりする際の中心となる特徴——は、どのように創られ形成されるのか。ジェンダー——あるいは人が「ジェンダー」という言葉を使って意味してきたさまざまなもの——は、今挙げたそれぞれによってどの程度決定されるのか。

　これらの問いにどう答えるべきか私にはわからないので、この問いを持ち出した人の念頭にあったことにかなり近いと思うもっと簡単な問いに答えよう。**「トランス男性（生まれつきの性別ではなく本人の自覚として男性である人）を男性と呼ぶべきか？」答えはイエス。**トランス男性を男性と呼ばないのは意地悪だからだ（もちろんトランス女性を女性と呼ぶことについてもしかり）。相手が男性と呼ばれるのを望んでいるのだし、その望みに応じるのはごく簡単だ。簡単（しかも誰も困らない）なのに相手の望むことをしないのは意地悪だ。この意地悪はトランスジェンダーの人々が雇用主や医療提供者や一般社会からハラスメントと差別を受けている事実に拍車をかける。トランスジェンダーの人々はすでに生きづらい人生を送っているのに、さらに生きづらくしてどうする？　これは、私たちが他の誰にでも与えている基本的な配慮と行動の自由をトランスジェンダーの人々に認めるという問題ではないだろうか。

納得したい人を納得させるのにこの理屈で十分なら幸いだが、どうもそうではなさそうだ。そこでいくつかありがちな反論を検討していこう。

☞でも「男」ってそういう意味じゃないでしょ。

「男」がこれまで意味してきたものとはたしかに（！）違うかもしれない。しかし言葉の意味は変化する。従来の意味によって多くの人が害をこうむっているとしたら、その言葉の意味を変化させるまっとうな理由となる。

トランスジェンダーは精神疾患だよ。

生物学上の性別と典型的に一致するジェンダー以外のジェンダーを自認することの、どこが精神疾患なのだろうか（これは妄想ではない。トランスジェンダーの人々は自分の生物学上の性別を正しくわかっているからだ）。しかしもっと一般的な話として、精神疾患とは何か。一つ妥当と思われる答えは、精神疾患とは有害な精神の機能不全だとするものだ。この説明に従うと、トランスジェンダーであるだけなら誰にも害を及ぼさないのだから、トランスジェンダーは精神疾患ではない（もちろん、トランスジェンダーの人々は性別適合手術を受ける前に大きな違和感を抱えていることが多いが、それは別の話だ）。いずれにせよ、トランスジェンダーが精神疾患だと主張したいなら、その説を正当化できる精神疾患の概念にもとづいて論証する必要があるが、そのような論証を私は見たことがない。

でもトランスジェンダーの人は他人に害を及ぼすよ。性別で分けられた場では迷惑だし、ジェンダーについてステレオタイプでエッセンシャリズム［本質主義。カテゴリーごとに本質的な属性があるとする］の考え方を押しつけてくるじゃないか。

性別で分けられた場においてトランスジェンダーの人がシス〔生まれながらの性と本人の性自認が一致している人〕より高確率で迷惑だというエビデンスはない。むしろ逆の場合の方が迷惑だろう。私のような外見をしたトランス男性〔生物学上は女性〕が男子禁制の場（ロッカールームなど）に入って服を脱ぎ始めたら、その場にいる女性たちは当然ながら動揺するはずだ。

トランスジェンダーの人々がジェンダーのステレオタイプやエッセンシャリズムを押しつけるという考えについては、そういうこともある、が答えだと私は思う。トランス男性が「昔から自分は男だという自覚がありました。幼い頃からいつもトラックや剣で遊びたがったものです」のような発言をするとしよう。この手の主張は、ステレオタイプな男らしい特質は一切合切、本来的ないし本質的に男らしいのだという考えの固定化に加担する。もちろん、多くのトランスジェンダーの人々はこのような発言をしないが、トランスジェンダーの人々がこのような発言を時々するとしよう。だったらどうだというのか。トランスジェンダーではない大多数の人は、ジェンダーに関するステレオタイプの固定化に日々いそしんでいないだろうか。それに、かりにトランスジェンダーの人々の方がシスの人々よりもこの手の発言をしがちだとしても、本人が望む名詞や代名詞で呼ぼうとしないことに何の益があるだろう。

「長すぎるから読まなかったよ」って人に。性とジェンダーにまつわる形而上学的な問いは本当に難しいが、トランスジェンダーの人々に対して私たちがふつうに親切に接すれば、彼らはずっと生きやすくなるはずだ。

5. バーでおごられたら「借り」を作ったことになる？

道徳の考え方には会計の隠喩が絡むものが多い。人に「借り」がある、刑務所に収容された人々は「社会に償っている」など。他人に損害をもたらしたら、相手は罰または便益という形であなたから支払いを取り立てられる、という考え方だ（相手はあなたを許すこともできるが、これは貸し手が借り手の負債を免除することができるのと同じだ）。逆に、誰かからいいことをしてもらったら、あなたには相手に便益という形で返すべき借りができる。道徳の総勘定元帳はプラスマイナスゼロにしておかなければならないのだ。

バーで誰かにおごられるとその人の話し相手をしなければならない気がする（それ以前に、おごりを受け入れなければならない気がする）なら、あなたはどうやら会計の隠喩に踊らされている。だが会計の隠喩は疑ってかかるべきだ。隠喩が要求するものは過小とも過大ともいえるからだ。

与える損害を便益と適正に均衡させている限り自分は道徳的に借りがない、という考えは志が低すぎる。その意味では会計の隠喩が要求するものは過小だ。あなたが自分や他人に望むのはその程度だろうか。私たちが自身にもっと高いハードルを設定すれば、世の中はもっと良くなるだろう。

会計の隠喩を本格的に適用したら、相手を窮地に陥らせたり実行に何の意味もなかったりする特殊な道徳的義務を簡単に課せる、というおかしなことになる。そう見れば、会計の隠喩が要求するものは過大だ。もし投資家のウォーレン・バフェットが単なる好意で私に１００万ドルくれたら、それは非常にありがたいだろうが、お返ししようとして費やす私の時間とお金はもっといいことに使えるのではないだろうか。

本題に戻れば、バーに居合わせた淋しいか下心のある赤の他人がちょっとした小銭があるからといって、あなたに自分の話し相手を義務づけることができる、と言って本当にいいのか（空の酒瓶を持った人物が道でぶつかってきて、割れたから弁償しろと言ってくる、よくある手口の詐欺にちょっと似ていないだろうか）。

もちろん、あなたがこの人物の話し相手をしてあげるのは親切なことかもしれない（相手が味をしめて別のバーで同じナンパを繰り返したり、話し相手をしたためにあなたの身に危険が及んだりするのでない限り。あなたは別にこの人と付き合いたいわけじゃないんでしょ?)。しかし**私たちには、できるからといって必ず親切な行為をする道徳的義務はない。もしそんな義務があったら、他のことをする時間がないだろう。**

6. 地域が高級化することで「街の持ち味」が損なわれないためには？

私が住むアパートメントの近くに「スクープス」という小さなおいしいアイタルレストラン*兼アイスクリーム店がある。天気が良ければ近所の人々で終日にぎわう。大昔からある店だ。この地域は長らくカリブ系住民とアフリカ系住民の居住区だったが、最近になって私のような白人が大勢越してきて、不動産価格が上がり、これまでとは違う高価な商品やサービスの需要が増えた。そのため、スクープスは家賃をきちんと払っているのに、大家が賃貸契約の更新を拒み、立ち退きを迫っている。多くの人がスクープスを救おうと団結した。署名運動をしたり、地元紙に取り上げてもらったり、大家との交渉に奮闘したりしている。それが成功するかどうかはなりゆきを見守るしかない。

この話には、地域の高級化がはらむ弊害のすべてといわないまでも多くが見事に凝縮されている。古くからの住民が追い出されたり（実際にどれだけ起きているかは社会学者の間でも議論があるが）、地元のサービスが値上げされて手が届かなくなったり、自分の街という気持ちが持てなくなったり、同じ地域でだんだん格差が出てきたり、特に新住民がしょっちゅう警察を呼ぶような場合に古くからの住民と新住民が反目し合うようになったりしかねないのだ。

こうした問題の大部分は個人の行動では解決できない。新参の住民が個人的に、古くからの住民と仲良くし、地元に根づいた店で買い物をし、家賃の高いアパートメントを借りたり高価な住宅を購入したりしないことはできる。大家とか開発業者とか不動産投資家でもなければ、あなたにできるのはそんなところだ。しかし組織化したり、制度的権力を形成するか利用しようとしたりすれば、あなたにできることは大幅に増える。スクープスを救え運動のように署名運動や新聞への働きかけに協力してもいいが、借家人組合を結成したり、地元の活動家グループに参加したり、住宅商業賃貸法の変更を求めて地元議員に陳情したりすることもできる。

＊ラスタファリアニズム（ジャマイカの宗教・社会運動）の食文化である菜食料理のこと。

とはいうものの、**地域の高級化に向けられた怒りの多くは、地域の高級化を可能にする条件に向けた方が有意義だろう。**

一般的に、政府や民間企業がすでに投資をやめて価値がなくなった地域だから、高級化する下地ができあがっているにすぎない。そして一般的に、新参の住民は他地域の家賃や住宅価格に手が出ないから、高級化しつつある地域に移ってくるにすぎない。不動産投機やそれを助長する高利の融資を制限するか禁止したり、人口密度の低い都市部の新規建築を合法化したり（近隣の貧困層やワーキングクラスに負担をかけすぎないよう注意しつつ）、あるいはもっと望ましくは、良質な公営住宅を大幅に拡充したりすることによって、不動産価格は抑えられるはずだ。地元の公共サービスへの財政投入を公正にするなどして、高級化に抗う体力を地域につけさせることもできるはずだ。本当の問題は、新しくできたコーヒーショップで働くタトゥーの男ではなく、こういうことなのだ。

7. ホームレスの人に「お金をあげる」べき？

選択肢が単にお金を自分で使うか地元のホームレスの人にあげるかだけだったら、ホームレスの人にあげる方がたぶん良いだろう。彼らがお金の数パーセントをドラッグやアルコールなど本人の身を滅ぼすようなものに費やすとしても（この仮定には大きな疑問符がつくが）、大部分のお金はあなたがすでに持っている生活必需品に使う可能性が高い。同じお金でもあなたより彼らにとっての方が利用価値が高いのだ。

でもおそらく、選択肢はお金を自分で使うか地元のホームレスの人にあげるかではないだろう。あなたは寄付に充てる予算をある程度心づもりしているのだろうから、ホームレスにお金をあげたら他に回すお金が減る。心理学でモラル・ライセンシングと呼ばれる心理に陥り、ホームレスにお金をあげたことで、他の慈善活動に寄付するなどの善行をしなくなる可能性もある。選択肢が「お金を地元のホームレスの人にあげるか」あるいは「他の慈善活動に寄付するか」だったら、他の活動に寄付する方がいいに決まっている。

アゲンスト・マラリア財団（ＡＭＦ）を例にとろう。この団体は以前から慈善活動の研究者たちに非常に高く評価されている。同団体は約４ドル50セントで、殺虫処理をした蚊帳（かや）を１張、蚊がマラリアを媒介する地域に提供している。慈善活動の評価を行う組織ギブウェルによれば、ＡＭＦに10万ドル寄付すると36人の死を予防できる。一人当たり２７７８ドルのコストで死を防げるのだ（ＡＭＦが予防する死に至らないマラリアの症例数や、人々がマラリアにかからないことにともなう益は含まれない）。それに対して、ニューヨーク市政府がホームレスの人々に住宅を提供する場合、ホームレス用シェルターの数が足りないため、ホテルの宿泊費を出すだけであることが多い。[*] ホームレスの大人一人をニューヨーク市のホテルに宿泊させるコストは年間４万ドル前後になる。アパートメントを借りるにしても、月額１４００ドル未満のワンルームを探すのは不可能に近い。一人の生命を救い、さらに複数の人々のマラリア罹患を予防するのと、一人の２カ月分の家賃を払うのと、どちらが重要だろうか。

なるほど、ホームレスの人にお金をあげるよりも慈善団体に寄付する方が効率がいい場合があるのはわかった。でも、慈善って効率だけじゃないでしょ？　目の前にホームレスの人がいて、面と向かってお願いされたらどうする？　それに、よその国の人の心配をする前に、自分が属す共同体を守る義務があるんじゃないの？

一生会うこともないだろう世界中の人々の困窮より、目の前にいる人々の困窮の方が切実に感じられるのは事実だ。自分が属す共同体に恩返ししたいという欲求――その裏にあるお互いさまという感覚――が非常に強いというのも事実だ。しかしこうした衝動は抑えておかないと、かなり不公正な方向に誘導されてしまう。私たちが自分の属す共同体に義理を強く感じるほど、その共同体はすでにある資源をますますためこんでいくだろう。アメリカの教育格差は、富裕層がわが子の学校に寄付をするせいでどれだけ開いているだろうか。地元のホームレスの人にお金をあげるのは、実質的に同じことが形を変えただけだ。

要するに、「慈善行為、そのやり方間違ってますよ」ってことか。

＊これを書いている現在、ニューヨーク市はこの措置を段階的に廃止しようとしている。しかしまだしっかり続行中だ。

まあ、ここは慎重にいこうか。真摯な気持ちで正しいことをしようとしている人々に向かってチッチッチッと指を振っても逆効果だ。ではもっといい呼びかけは何だろう。


「慈善行為、その意欲、買うけど惜しい！」

「慈善行為、それ、うーん、あと少し！」

「慈善行為、ここで、ちょっとアドバイスさせて！」

8.「自分にはどうにもできないこと」に心を乱される意味は？

少なくともほとんどの場合、意味はない。例えば電車が遅れるからといって頭に血を上らせても、自分の首を絞めるようなものだ。外出先に遅れそうになってすでにあなたは困っている。他の条件が同じとして、腹を立てるだけ状況は悪くなる。ただし電車と違って感情は、いくらかは自分でどうにかできる。

しかし、自分にはどうにもできないことに腹を立てるのが合理的な時もある。

第一に、今はどうにもできなくても、今後似たような事態が起きないよう予防に努めることができる。雨に降られてムカついたら、次は傘を持っていく確率が少し高まるだろう。

第二に、自分にはどうにもできないことに腹を立てるのは、時として自尊心の問題だ。

私が地元のマフィアに目を付けられ、不愉快だが命の危険があるほどではない嫌がらせを日常的に受けているとしよう。この状況を自分でどうにかするには力に差がありすぎるし、警察と連携したり反マフィア運動を立ち上げたりするのはリスクが高く困難な先行きが見込まれ、はなからやる気はない。

さて、マフィアの仕打ちに私はさしたる感情を持っていないとしよう。このことから私について何がわかるだろうか。私は自分が不当な仕打ちの被害者だと認識し、自分には何もできないことを理解して、憤りや屈辱を感じないよう自分を訓練した可能性がある。しかし、私が何も感じないのは自分の身にとりたてて悪いことが起こっていると思っていないから――例えば自分はそのような扱いを受けて当然なのだと思っているからという可能性もある。だとしたら悲しくないだろうか。まるで自尊心のない、他人の幸福を尊重するほどには自分の幸福を重んじていない人のようではないか（ジェームズ・ボールドウィン〔小説家・公民権運動家〕は自分の父親を、白人社会が自分の価値をおとしめ不当に扱うあの手この手の仕打ちにもはや怒ることができなくなったために、自己愛――自尊心と言い換えてもいいだろう――を失ってしまった人として描いている）。このような人は憤りや屈辱を感じた方が幸せだろうと私は思う。憤りや屈辱自体が良いものだからではなく、自分を大事に思う気持ちと密接につながっているからだ。

最後に、情動は往々にしてきわめて社会的なものだ。私たちに感情があるのは、それが他人との付き合いを深めてくれるからという面が大きい。したがって、情動が自分の力では対処できない物事への反応であるという事実を問題にするのがおかしい。恋人との別れを経験し、自分の気持ちを持て余している時、友達につらいと訴えれば（あるいは友達の前で単に取り乱すだけでも）、相手はあなたを慰めたり、一緒に時間を過ごしたり、みんなあなたのことを大事に思っていると元気づけたりする気になってくれるだろう。私たちが悲しくなるのは、自分では状況を変えられないにもかかわらず、ではなく、変えられないからこそなのだ。

自分の感情を飼い慣らしたいという願望にはマッチョ志向がひそんでいると付け加えておくべきかもしれない。お次はプロテインパウダーとあやしげなサプリメントが登場しそうだ。自分自身や周囲の世界の何かを支配したいという衝動には警戒しよう。私は涙を拭くためのティッシュを手放す気はありませんので、どうかおかまいなく。

9. 自分の「親がいずれ死ぬ」という事実をどう受け入れる？

哲学者の中には「死者は生き返ることを望んでいない」「死は眠りか生まれる前の状態と同じようなものだ」「新たな命に場所を譲るために死は必要なのだ」「避けられないものを恐れてもしかたがない」「肉体は死んでも魂は不滅だ（それもあまりうれしくはないが）」などを理由に「死は悪いものではない――少なくとも心を乱されるほどのものではない――」とあなたに説得を試み、死のインパクトをやわらげようとする者もいるかもしれない。ここではそういうことはしないつもりだ。

しかし私にとって癒しとなってきた考え方が少なくとも一つあるので、それを紹介したい。あなたとあなた自身がいずれ死ぬという事実の関係を間にはさんでみるのだ。まず、死とはオール・オア・ナッシング、存在するかしないかであることを認識しよう。だが生命の存続に重要なことは、オール・オア・ナッシングではない。

ＳＦ的な思考実験を使って考えるのが最もわかりやすい。あなたがこれから中枢神経系の１パーセントを他人のものと入れ替える手術を受けると想像してほしい。あなたの記憶、人格、将来計画、欲求、信念などのうち１パーセントが消失し、他人のものと入れ替わる。この手術を受けることに対してあなたはどう感じるだろうか。ちょっと怖いような、ちょっと好奇心をそそられるような気持ちだろう――しかし自分が死ぬとは感じないだろう。今度は思考実験に少々変更を加える。あなたの中枢神経系の25パーセント、50パーセント、75パーセント、99パーセントが入れ替わるとしたら？　数字が上がるにつれ、この手術は殺人だと感じられてくる。

しかしこれは、実は加齢と同じではないだろうか。現在の自分は過去の自分と未来の自分が一種グラデーション状に混ざり合ってできたものだ。私たちは毎日死んだ細胞を新しい細胞と入れ替えている。古い信念を手放して新しい（なるべくなら前よりも良い）信念を受け入れる。スキルを失い、獲得する。今起きていることを記憶する場所を作るために、過去の出来事を忘れる。15歳の私が今の私を見たら、誰かはまあわかるだろう。だが多少は驚く面もあるはずだ。そうでなかったら残念ではないだろうか。

これらを考え合わせると、良くも悪くも意味のある形で、私たちの身には小さな死のようなものがたえず訪れていると言える。死は不幸ではあるが、それまでの生で経験してきたこととまったく異なる形の不幸ではない。死が異質なのは、自分がいつか死ぬという事実に対する心の持ち方が、一生の間に経験してきた変化に対する心の持ち方とまったく異なる場合だけだ。

　これは、親がいずれ死ぬという事実に対する心の持ち方とどう関係するだろうか。いずれ来る親の死へのあなたの不安が、親の死が親にとって前例のない損害だというあなたの考えを反映している分だけは、その考えを改めることで不安がやわらぎそうだ。しかしまた、**あなたの親が（みんなと同じように）たえず意味のある形でさまざまに変化してきており、死が人生における変化と変わらない限り、あなたは自分で思っているよりも親の死に心の準備ができている。**自分の親がいずれ死ぬという事実をどう受け入れるかという問題は、あまりに非日常的で、あまりに巨大に見えるために、これほどまでに恐ろしく思えるのかもしれない。しかしあなたは今まで生きてくる中ですでに、少しずつそれと付き合ってきたのだ。

この問いは形を変えながら、さまざまなブースで持ち出された。最初はクイーンズのファーマーズマーケットに設置したブースだった。テーブルに近づいたその女性に私たちがどんな挨拶をしたかは忘れたが、明るく声をかけたに違いない。対する彼女の返事には傷心と怒りが感じられた。母親を亡くしたばかりだという。哲学者はそれに対していったい何ができるというの？ 私はエピクロスとルクレティウスについてそれらしく話をまとめたように思うが、*まったくのところお手上げだった。時間を巻き戻してあの会話をやり直したい──生の本質は徐々に経験されていくものであること、生きている者に目を向ける大切さ、情動の合理性を提起したい（情動の反応がこのような状況にふさわしいのはなぜか。さらに言うなら、情動の反応がその都度の状況にふさわしいのはなぜか）。しかし喪中の相手、親が死の床にある相手にこんな話をするのは難しい。できれば、親の死が目前に迫る前に考えておいた方がいい。

*エピクロスと後年その思想に追随したルクレティウスは、死は害をもたらすものではないと主張した。二人はこの結論を裏付ける論証を数々（いささか多すぎるほど）行っているが、最も有名なものは主体不在の問題として知られている。生きている間、あなたはまだ死んでいない。死んだらあなたは存在しないのであり、存在しないあなたには何物も害をもたらすことはできない。したがって死はあなたが生きている時も死んだ時もあなたに害をもたらしはしない。

豆知識：ユダヤ人の使うイディッシュ語では異教徒を「アピコレス」という。エピクロスが語源だ。

10. 退職後に「目的をもって生きる」には？

33歳の若輩の身で言うのも何だが、これは難しい質問ではない。現役を引退したからって他人のためにさまざまな有意義なこと――慈善団体でボランティアをする、つらい境遇の友人を支える、（もしあるなら）お金を社会活動に寄付する、などができなくなるわけではない。あなたの仕事が、多くの仕事がそうであるように、世の中を良くするより雇用主の利潤追求に貢献していたのだとしたら、退職後の方が他人のために有意義なことをする機会は増える。かりにあなたが自分自身のために有意義なことをしたり、自分を向上させる取り組みをしたりしたいのだとしても、運動、旅行、講座の受講、手工芸など選択肢はたくさんある。

しかしこの答えは、こうした活動をする動機と能力の両方がそろっていなければ、実際の役には立たない。動機がないかもしれない理由は多数ある。アイデンティティや自己価値観の拠（よ）りどころが、職業上の地位とか上司や同僚やクライアントから求められているという感覚である人もいる。意に反して退職に追い込まれ、落ち込んで苦い思いを味わっている人もいるかもしれない。死の恐怖とか、加齢にまつわる不愉快で気持ちが萎えるような通念を内面化してしまい、気力を失っている人もいる。単に好奇心や自発的な動機、あるいは朝家から出る目的を持つ習慣を育ててこなかった人もいる。そして私たちが高齢者の「生産性」を過小評価しているエビデンスはあるものの、あなたには他人のためであれ自分自身のためであれ、やりたいことの多くをする能力がないかもしれない。

哲学の立場からこれに対する万人向けの答えは出せない。結局のところ、これは哲学の問題とは言いきれないからだ。哲学に一つできるのは、もっと広くとらえて、退職と加齢を経験した人ならではの価値を明確にするお手伝いだ。一般化しすぎたり、安易な迎合をしたり、感傷に傾きすぎたりせずにやりおおせるのは至難の業だが、もう誰からも必要とされない、自分が世の中で何の役割を負うべきかわからないという思いにさいなまれている人にとっては、役に立つかもしれない。

一つの考え方として、誰しも多少なりとも弱さがあり、**常に他人に頼っている。この誰もが持っている弱さ**は、反面、強みでもある――連帯、思いやり、お互いさまの精神の基盤となりうるからだ。しかし、**健康な働く大人でいる間はこの弱さを忘れずにいるのは難**

しい。人は自分が支えられる側より支える側だとつい考えがちだ。退職や加齢の経験に価値があるとしたらここかもしれない。あなたと、あなたの周りの心ある人々が、私たちの弱さの重みを評価せざるをえなくなるだろうからだ。そしていずれやってくる死がだんだん意識されるようになると、人に頼られることの本当の意味がはっきりと見えてくる。誰かが亡くなった時に悲しかったり、亡くなる予感に心がざわついたりするとしたら、それはふつう、その誰かが公式経済に貢献していたからではない。私たちは人々に仕事によってのみ支えられているわけではないのだ。

もう一つの考えとして、哲学者で心理学者のカール・ヤスパースは、私たちの世界観（私たちが最も大事にし、いちばん頼りにしている総合的な信念と姿勢、と私は解釈している）は「限界」、つまり私たちがあえて考慮しない可能性、解決しようとしない矛盾によって設定されると主張した。しかし時折、私たちはその限界と対峙する。私たちは世の中のあり方、その中における自分の居場所、何が重要かについての、自分の基本的な理解の不十分さを（焦燥感や喜びをもって、あるいはまた別の形で）経験する。ヤスパースはこのような経験を「限界状況」と呼んだ。**私たちは人生のどの時点でも限界状況に遭遇しうるが、多くの人にとっては退職自体が限界状況であり、加齢は一般に限界を試されるさ**

まざまな挑戦と発見をもたらす。絶対とは言えないが、私たちは限界状況から学びを積み重ね、時とともに想像力が鍛えられ、限界状況とうまく付き合えるようになるのではないかと私は希望を持っている。そんな私の考えが正しければ、もう少しだけ欲を出して、こうして獲得した叡智（えいち）が言葉と実例で他人に伝えられるという希望も持てるかもしれない。私はまだ退職していないしそこそこ若いが、こう考えるにつけ、うかうか生きてられないぞという気持ちになる。

11.「心を病む」ってどういうこと？

この問いに対して、精神疾患の最も評価が安定した例を集めて、その共通点を述べ、単なる奇癖や特異な性格との違いを記述するだけのアプローチもできるだろう。しかしあまり有益な策だと私は思わない。第一に、精神疾患の最も評価が安定した例でも、やはり異論はかなりある。反精神医学論者、障害者権利活動家、社会全体の問題を薬物治療によって安易に解決しようとしているのではないかと疑問を持っている人など、精神疾患のとらえ方に非常に懐疑的な人々がたくさんいるからだ。彼らを頭から間違っていると決めつけずにこうした懐疑に答えられるような精神疾患の定義があれば、それに越したことはないだろう。第二に、米国精神医学会の『精神疾患の診断・統計マニュアル（DSM）』は改版するたびに大きく内容が変わる。この事実が、何を精神疾患とみなすかについての専門家の合意状況を表しているとみる限り、精神疾患の概念は多少流動的といえる。しかし、しばらくの間定着する――DSMの解釈の可否を判断するのに使えそうな精神疾患の定義があれば、それに越したことはないだろう。そして第三に、精神疾患の概念を私たちは現実的にも理論的にも、ありとあらゆることに使う。何を目的として精神疾患の概念を使うのかを理解する前に精神疾患とは何かを理解しようとしたのでは、その定義が本当に目的にかなうのかおぼつかない。

幸い、もう一つ別のアプローチがある。哲学者のサリー・ハスランガーが「改訂的分析」と呼んでいるもので、これは哲学者のルドルフ・カルナップが提唱した「解明」とだいたい同じものだ。まず、精神疾患という概念の要点、目的、または機能を問う。精神疾患の概念を用いて人は（その概念を持つ理由の説明となるような）何をしているのか。次に、その目的を果たすベストな手段を問う。精神疾患の概念が道具のようなものだとしたら、道具の性能を上げるためにどう設計できるだろうか。

（何を間違ってか）私に聞くなら私見を述べさせていただくと、精神疾患の概念には少なくとも三つの機能がある。一つ目は、精神疾患研究者や精神病理学者の意思決定を制限すること。彼らは精神疾患の性質、原因、治療を研究しているので、何が精神疾患かそうでないかの判断は彼らの時間や関心の使い方に影響を及ぼす。* 二つ目は、医療に関する意思決定の指針としての機能だ。精神疾患のケアを求める人々が案内される先は精神科医、臨床心理士、メンタルヘルス・ソーシャルワーカーで、他の科の医療従事者ではない。三つ目として、精神疾患には道徳および法律上の機能がある。ある行動が精神疾患によって起きたと考えれば、その行動に対して通常問うような責任は問わないものだ。漠然としているが、私の言わんとしていることはわかってもらえると思う。誰かが悪いことをしたのが精神疾患のせいだと考えれば、その人には治療を受けさせようとするだろうし、制裁は求めないだろうし、その行動に対して、他人の行動であれば憤りや嫌悪感、自分自身の行動であれば罪悪感や恥など、特定の情動的な反応をしたりそれを手放しで是認したりはしないだろう（注目すべきは、これらが精神疾患の概念が果たす機能であることには同意しつつ、精神疾患なるものは存在しないと考える人々がいる点だ。精神病理学者が研究すべき対象、メンタルヘルスケア提供者が果たすべき正当な医療の役割、等は存在しないという考え方があるのだ）。

そこで問題は、これら三つの機能に最もあてはまる精神疾患の概念をどう定義したらよいかだ。もしくは、機能ごとにふさわしい精神疾患の定義がそれぞれあるとしたら、その複数の精神疾患の概念をどう定義すべきか。

そしてここで私の答えは尽きてしまう。精神病理学の方法論的な長所短所、さまざまな**メンタルヘルス介入の実績、刑法において精神疾患へのアプローチ別に考えられる結果、**

悪い行いを医療問題として扱った場合の益と害について、私には十分な知識がない（ごめんなさいね！）。しかし、たとえ一般的に何をもって精神疾患とするのかは言えなくても、事例ごとにそれが精神病理学者の研究対象なのか、メンタルヘルス・ワーカーの治療対象なのか、通常は道徳と法によって与えられる社会統制の道具を使って対処すべき対象なのかを問うことはできる。しかしこれだけは言っておきたい。研究者の推定によれば、アメリカの刑務所にいる人々のおよそ20パーセントは「重篤な」精神疾患を患っている。収監された人の大多数は出所してから数年以内に再逮捕される。精神疾患歴のある人々への対応に関して、警察には間違いなく後ろ暗い実績がある（デボラ・ダナー事件、サヒード・ヴァッセル事件、サンドラ・ブランド事件、チャールズ・キンゼイ事件、クウェシ・アシャン事件……）。したがって、私たちが「精神疾患」をどう定義するにせよ、刑事司法制度が現在扱っている問題の多くはメンタルヘルス・ワーカーにまかせた方がよいと考えるだけの十分な理由があるのだ。

＊ここでは「疾患」よりも「障害」という言葉を使う方がたぶん正確だろう。当初の問いは精神疾患という言葉で表現したが、適宜「障害」という言葉に置き換えていただいてかまわない。

12. 貧しい国からものを買うと、その国の労働者を「搾取」したことになる？

搾取、少なくとも経済的な搾取について、一つの考え方を示そう。財やサービスに高すぎる価格をつけたり低すぎる報酬を支払ったりした責任を負うべき時、その人は搾取したことになる。

「責任を負うべき」という言葉を加えたのは、経済搾取は道徳的概念だと私（と、おそらく問いを立てた人）は考えているからだ。かりに、例えば、小さな宝飾品に本来の価値を損なう欠陥があることを双方が自分に責任のない理由で知らないために、私があなたに高すぎる価格を要求した場合、私があなたを搾取したと言うのは無理がある。

もう少し難しいのは、何が不当な高価格や低報酬に当たるのか、ないし何が適正価格に当たるのかを述べることだ。ここで、なかなか使える理論を提案しよう。哲学者ジョン・ロールズによる「無知のヴェール」という考え方を図々しくパクった、いや参考にさせてもらったものだ。あなたと私がある製品を売買するとする。さて、質問。あなたも私も、この取引について判断するのに必要な情報をすべて持っているとしたらどうだろう。あなたも私も、製品の品質と作り、製品に一般的につけられる価格、双方のニーズと選好と経済状態、消費者行動の心理など、あらゆる関連事実を知っているとしたら。ただし、一つだけ盲点がある。取引が終わるまで、どちらが買い手でどちらが売り手かわからないのだ。無知のヴェールとはこの架空の売買交渉をいう。そしてこの理論では、ヴェールのかかった状態で双方が合意する価格が取引の適正価格となる。

問題点がいくつか。

- 宝くじや情報の購入のような、知らないことが取引の必須要素であるものをこの理論で説明するには、意味の明確化か修正が必要になるだろう。どうやればいいか私にはわからないが、目下の問いにはあまり関連性がない。
- 子供や動物の搾取を扱うにも理論の変更が必要になるだろう。
- 奴隷は搾取の典型例だが、この問いの構図にはしっくりあてはまらない。奴隷所有者は自分のために働く奴隷と直接取引するわけではないからだ。答えは、この事例に合わせて拡大した取引の概念を採用することだと思う。奴隷が奴隷所有者のために働くことに同意したのであれば、奴隷所有者はその労働に対して支払いをするべきである、少なくともそういう意味なら、奴隷所有者は奴隷と取引を行っている。

もちろん、私たちが実際に無知のヴェールを通り抜けることは不可能だ。しかしヴェールの向こう側にいたらどうするかを推測できる方法はいろいろある――想像力を働かせる、売買の経験者にいくらが適正価格かを推測してもらう、買い手に有利な市場の実勢価格と売り手に有利な市場の実勢価格の平均をとる、買い手と売り手が支払ってもよいと実際に言っている価格の平均をとり、その取引における交渉力と関連知識の非対称性を加味して調整を行う、など。

私は搾取と適正価格についてこのように考えるのを好む。人がやむなく取引に合意させられる事例に多くの人が感じるいかがわしさに具体的な形を与え、説明してくれるからだ。この考え方なら、例えば、相手にその仕事をする意思があったとしても、最低賃金を大きく下回る報酬を支払うのが典型的に搾取であるのはなぜかが説明できる（雇用主が過度な交渉力を利用しなければ、そんな低賃金は通らないからだ）。何が（希少性に応じた自然な価格変動ではなく）ぼったくりとみなされ、なぜぼったくりが一般的に悪いことなのかも、この考え方で説明できる（売り手は自分が買い手の立場だったら、同じ商品をぼったくり価格で買いたがらないはずだからだ)。一般化すると、この説明は適正価格が買い手と売り手の個々の選好に依存するという原則と、不当な価格は無知と交渉力の不均衡から生じるという原則をうまく両立させている。

しかし問いに戻ろう。この説明でいくと、直接の取引相手ではない人から搾取することはできない。したがって、海外の労働者から直接買うのでない限り、彼らから搾取していることにはならない。

しかしこんな簡単な話ではすまされない。かりにも海外の労働者が雇用主から搾取されていて、その労働者が一部生産に関わったものを私が店で買うとしたら、私が支払ったお金は元をたどればその労働者を搾取している誰かに渡ってしまう。* そして通常、やっては

*とりようによっては、私が元をたどれば労働者を搾取している誰かにお金を払っていることにはならない。なぜならメーカーにお金を払うのは商品そのものに対してであって、労働者を搾取することに対してではないからだ。しかしこれは本質的な区別だろうか。自分の行為の意図した結果と意図しなくても予見できる結果には道徳的に重要な違いがある、とみなす伝統が哲学と法律にはある。これを二重結果論という。問題は二重結果論が一般的に成立するか、海外労働者の搾取のケースにだけ成立するかだ。しかし二重結果論そのものの目的は、私に判断できる限り、わかっていながら他人に害を与える人のための口実を作ることなので、私はあまり真面目には取り上げない。

いけないことがあるとしたら、それをやっている人にお金を支払うことだってやってはいけない。したがって、サプライチェーンの末端に自分がいて、その反対側で搾取が行われていたら、私がやっているのはおそらく悪いことなのだ。

たぶん。しかし、消費者の立場には、あなたの肩からある程度の責任を下ろせる特徴が二つある。一つは、消費者が心理学でいう限定合理性の下で意思決定を行うことだ。より良い選択は常に可能だが、そのためには他で使った方がよいであろう時間や知力が求められる場合がある。販売されているシャンプーのブランドが10あって、搾取が行われていないのはそのうち一つだけだとしても、どのブランドを選ぶのが正しいかを知るためには数時間かけて調べなければならない。**労働者を搾取している製品の消費を避けるためにこのような時間や知力の使用が求められるとしたら、消費者として最適ではない選択をしたからとあなたを責めるのは最初から無理があるように思われる**（とはいえ、これを極論に持っていくのは簡単だ。「㈱悪徳社が悪徳だってこの私にどうしてわかる?」）。

もう一つは、**消費財は意味があるほど差のある選択をできない場合もあることだ。**野菜を食べる必要はあるが、買える野菜はすべて（またはとんでもない時間かお金をかけなくても買える野菜はすべて）不当に低賃金の労働者が収穫したものかもしれない。したがって、これに関してあなたに実質上の選択肢がない一方で、労働者の雇用主(あるいは野菜栽培業界全体)には選択肢がある。概して、**個々の消費者行動の倫理が議論になっていたら、それよりも雇用主か規制当局か業界基準を話題にする方が望ましくはないかと問うてみる方がよい。**

13. 魚を「ペット」として飼うのはいいこと？

魚にもよるが、適切な飼い方をするなら、答えはおそらくイエスだと私は思う。私から見た問いのポイントは、（ダジャレじゃないが）魚が水槽の中の一生で感じる快楽の総量と飼い主が魚を飼うことから得る快楽の総量の和が、魚が野生の一生で感じる快楽の総量を上回るか、だ。

この問いの難しさは、魚の気持ちがきわめてわかりにくいところにもある。哺乳類のペットであれば飼われていてどの程度幸せかわかるのは、私たちも一応哺乳類だからだ。しかし魚というのはかなり異質な生き物である。彼らが幸せかどうかわかりにくいのは、そもそも幸せとか不幸を感じるのかどうかがわかりにくいからだ。そこで議論を進めるために、ペットの魚は苦痛と快楽を経験できると想定しよう。生存と繁殖を困難にしがちなものに対しては苦痛を、逆のものに対しては快楽を感じるに違いない。問題は、それらのうちどれが実際に苦痛または快楽をもたらすのか、どれだけもたらすのかだ。

ふつうの金魚を例にとろう（野生の比較対象としてはフナを）。金魚には人間に育てられることで享受する利点がある。いちばんわかりやすいのは、天敵や餌の心配をせずにすむことだ。

さて、飼われている金魚の一生に不快をもたらす原因として考えられることはたくさんある。金魚鉢に1匹だけで飼われていたら、酸素の供給が不十分で、自分の排泄物にまみれて酸欠死するだろうし、他の魚との交流から得られる刺激がないだろうし、金魚鉢の形のせいで視覚系が正常に機能しないかもしれない。平均的なフナと比べてほぼ確実に早死にするだろう。しかしこうした問題は、もっと丁寧に世話してやれば——十分な大きさがあって適切にメンテナンスした四角い水槽（池ならもっと良し）で、せめてもう1匹仲間を入れて飼うだけで、すべて解決できる。大事に飼われた金魚は、少なくとも平均的なフナと同じくらい長生きするだろう。

それでも、金魚の快楽の元となるかもしれない自然な行動はできないだろう。中でも、採食行動ができず、交尾ができず（オス、メスを適当に選んでつがいにしない限り）、長距離移動ができないだろう（野生のフナは50マイル〔約80キロメートル〕以上の大移動をすることが観察されているらしい）。さて、フナが食べるもののほとんどはそれほど獲るのが難しくはないので、(単に食べるのではない）採食行動からフナが大きな快楽を得る理由はよくわからない。しかし交尾と長距離移動ができないのは大きな損失となりそうに思われる。時々水槽の模様替えをしてやることで、ある程度は緩和できるかもしれない。とはいえ、この快楽の欠如は、身の安全と十分な餌を与えられていることに比べればおそらく小さいように私には思われる。結局、食べることと天敵を避けることより長距離移動と交尾を優先する魚は長生きしないだろうから。そして、魚をペットとして飼っている人間が魚のいる生活を楽しんでいるだろうことは言うまでもない。

でもペットを飼うって、基本的に隷属させることじゃないの?

たしかにペットを飼うことはいくつかの点で隷属させることに似ている。ペットが自由に動き回ったり、基本的な生き方を自分で決めたりすることを妨げているし、ペットが提供してくれるサービスに支払いをするわけではない。しかし、人間を隷属させるのがなぜ悪かの説明はたくさんあるが、その説明を人間以外の動物に適用しようとしてもうまくあてはまらない。ペットの労働に支払いをするなんてナンセンスだ。ペットは一般に、ほとんど自己決定できないことに対して、目に見える苦痛を感じてはいない。人間は人間以外の動物にはできないやり方でペットの生活を計画しようと配慮する（また、それが可能だ）。逃げ出したペットの生涯は総じて幸せではない、などなど。

したがって結論は、おそらく大切に飼われている金魚の方がふつうのフナよりも世の中に多くの快楽をもたらす。金魚を飼いたいなら、ぜひ大事にしてあげてください。しかし、世の中には犬というヤツもいましてね……。

14.「専門家」を信用すべきなのはどういう時？

授業でこの手の問いを立てる時は、おおむね「あなたは教師／ジャーナリスト／医師／科学者／誰であれ、絶対に信用すべきではない」という筋書きを学生（たいていは複数の）が引っ張ってくるだろうと予想がつく。いわく、あの人たちは自分の言っている内容がわかっていない。あの人たちは何かを売りつけようとしている。人によって言っていることが正反対だ。あの人たちはこちらが疑問を持たずに従うことを望んでいるだけだ。あの人たちはお金をもらっている。専門家を信じるのは世間知らずか体制順応主義者のしるし――少なくとも自分の頭で考えられない、あるいは考えたくない人のしるしだ。

この筋書きは何となく世間で流行っているが、専門家に対する実際の関わり方とはまったく乖離している。私が小学3年生の時に算数の授業で長除法を教えてくれたローゼンブラム先生は、お金をもらってはいただろうが、長除法を捏造したわけではない。天気や地域の交通情報を知りたければ、ニュース（あるいはグーグルが信用できるとみなした情報源）に頼る。地球が太陽の周りを回っているのでありその逆ではないという結論のエビデンスを説明できる者はほぼいないが、皆それを他のことと同様によく知っている。これらについて専門家の言うことを信じまいとするのは、私たちの情報生態系に対して並外れて明晰で批判的な見解を持っているしるし、ではなかろう。ただの偏執症ではないだろうか。

しかしもちろん、この筋書きが当たっている面もある。専門家を必ず信じていいわけではない。少なくとも自称専門家や、専門家風の評判や資格を持っているように装う輩を。コペルニクス以前は、地球が宇宙の中心だというのが学会では全員一致の見解（ともかくもヨーロッパでは）だった。報道機関は突発的にやらかすこともあれば、組織体質の問題ということもあるが、しょっちゅう誤報を出す。科学の一分野がまるごと間違いだと判明する場合もある。例えば、基本的な前提に異論を唱える者をことごとくつぶしながら存続してきた学問分野とか。そしてもちろん、専門家同士の意見が対立する場合もある。

この問題を考える出発点は、そもそも自分が他人に言われた内容を信じる理由を問うてみることだ。誰かがあなたに何かを言うという事実だけで（特に矛盾するエビデンスがない場合）、相手を信じる正当な理由になる、と主張する哲学者もいる。そうかもしれないが、そこまで極端に走る必要はないと私は思う。同僚が、ある報告書を作成する仕事を振られたとあなたに言うとしよう。なぜ相手を信じるか。いくつか理由が考えられる。

- 人は一般的に、職場で自分が何を指示されたか、されなかったかをよくわかっている。特に、わざわざ人に言うほど自分がわかっていることに自信があるのなら。したがって、同僚は自分が口にした内容をおそらくわかっている。
- 相手が嘘をつく理由は考えづらく、嘘をつかない理由はたくさんある。もし嘘をついたらあなたに責任を追及されるだろうし、あなたとの関係に多少ヒビが入る可能性があるだろう。ほとんどの人はそんなリスクを取りたがらない。
- 言っている内容より言い方で相手の嘘がわかることがある。あなたにそこそこの精度で嘘を見抜く能力が備わっていて、それがアラームを発しなければ、大丈夫。
- たとえあなたが嘘を見抜ける立場になかったとしても、同僚はおそらくサイコパスではないだろう。たいていの人は、特に正当な口実がなければ、このような嘘をつくことに後ろめたさを感じるものだ。
- そしてもちろん、同僚は過去に、あなたがみずから検証できた他の発言をしてきただろう。それらが正しかったのなら、今回もおそらく正しい。

これとは肝心な点で異なり、話し手を同じほどには信用できない会話の状況も想定できる。例えばユーチューブのコメント欄での知らない人とのやりとりなどだ。しかし少なくとも、信頼を土台に成り立っている大切で継続的な人間関係という文脈において、人が平凡なあるいは検証可能な事柄を話している場合には、一般に、相手の言っていることは正しいとかなり確信できる（自分がじかに観察して得る知識などわずかであるのを思えば、ありがたいことでもある）。

ただし、これは日常会話の信頼性にすぎない。専門家の尊重はその範疇にない。私たちは専門家の発言をきわめて高い度合いで信じる。ただの素人には与えられない場を専門家に与えて見解を表明させる。政治的な意思決定では、議会予算局や国勢調査局のような機関を通じ、専門家の意見を特別に重視する。このような尊重が正当化されるとすれば、職場の会話でふと出た発言を信じる以上の理由がなければならない。

しかし、少なくとも場合によっては、専門家を尊重すべき特別な理由がたしかにある。**ある特定のケースで専門家を尊重すべきかどうかは、そうした理由が成立するかどうかの問題となる。そのような理由を、すべてではないが挙げてみよう。**

- **信用の裏付け**：専門家は立派な職、学位、発言の場といった信用の裏付けを持っているかもしれない。正当な信用の裏付けか意味のないものか、違いを見分けるのは素人には難しい場合もあるが、その信用の裏付けが別の信用の裏付けを持つ多様な人々から認知されているかどうかは、一つの優れた判断基準となる。
- **事実確認、暴露、説明責任**：専門家は自分の発言が編集者や第三者の厳しい事実確認を受ける分野、あるいは虚偽の主張を事後に暴露する強いインセンティブがある分野で働いているかもしれない。事実確認や暴露で虚偽が判明した場合、評判か職業的な立場が傷つくおそれがある。過去の間違った予測をとがめられない政治評論家と、頻繁に失敗を公表して以前の実験を再度実施する科学分野を比較してみてほしい。
- **合意**：すべての専門家の意見が一致したり、専門家コミュニティの合意を代表する文書を通じて意見が出たりする場合もある。しかし専門家の意見が一致しない場合も、多数派が力を持つかもしれない。専門家がその分野の専門家の多数派を代表して発言しているのであれば、尊重する理由がある。特に、または最低限、多数の専門家の支持が集団順応思考とかエコーチェンバー現象（閉鎖的空間の中でコミュニケーションが繰り返されるうちに特定の信念が強化や増幅されること」などの結果ではないと示すものがあるならば。

- **資金提供**：専門家の中には大学、公的助成制度、ある事柄についての真実を明らかにすることに市場ベースのインセンティブを有する民間事業体から、資金提供を受けている者もいる。真実への関心よりも私益や利潤に支配された人や組織から資金提供を受けている専門家もいる――製薬業界が資金を出している精神医学会議、冷酷非情な大富豪が資金を出しているリバタリアンのシンクタンク、原理主義の宗教団体が資金提供した教育プログラム、ダイエット食品を販売している栄養士、検察側が雇った専門家証人、メーカーから新薬の効能についての情報を得ている開業医など。これは良し悪しではなく程度の問題だが、資金源によっては発言者の信頼性が低下する。

専門家を尊重すべきこれらの理由はいずれも、完全にあてになるわけではない。また多くの場合、その理由が追加調査しなくても成り立つかどうか私たちには判断できないだろう。しかしそれは哲学上の問題というより、現代の情報の広まり方にまつわる問題である。

15. 子供を「良い人間」に育てるには？

親が子供の行動に影響を与えるためにできることは、子供の学校、仲間集団、遺伝子、主流文化から大きな制約を受ける。しかし子供がどんな人間になるかに対して、親にはいくばくかの影響力がある。良い人間の育て方として実証的な裏付けが十分にある案をいくつか紹介しよう。

- **共感でき、憧れの対象となるロールモデルを与える。** 子供は、道徳的に非凡な偉業をなしとげたり、正しいことをするために障害や支配的な規範を乗り越えたりする人々（特に本人と2歳ほどしか違わない年長者）の物語で動機付けができる。不道徳がまかり通ることも少なくない世界で、良い人間は反逆者だ。誰もが反逆者には憧れる。
- **抽象的な原理原則を具体的で感情に訴えるものにする。** 口で「フェアにふるまいなさい」とか「人に親切にしなさい」と立派な助言をしても、感情レベルで影響を与えるには至らない。人は影響を受けて初めて行動の動機付けを与えられるのであり、私たちが影響を受けるのは、一般論や数字を使った説明より、特定の具体例なのだ。

- **もっと楽をして道徳的になれるようにする。**子供の良い行いにご褒美を与えるのではなく、正しい方向への「ナッジ（さりげない後押し）」をできる範囲でする。例えば、悪い選択肢を（最初から一切触れさせないのではなく）考慮させてみる、良い選択肢を肯定的に表現する、良い選択肢を判断するのに頭を使わなければならず億劫に感じる状況を避ける、など。モノで釣るのもある程度は許容されるだろうが、リスクが高い。外部的な要因で動機付けするほど、道徳的な行動習慣は脆弱になる。

- **周りの人間が実際に従っているルールを教える。**これこれをするのはルールに反すると教えられた後で、人々がおおっぴらにそれをしている場に身を置けば、子供はそのルールを真面目に守らなくていいのだと思うようになり、まったくの逆効果だ。

文献や体系立った実証的エビデンスのようなものはないが、私が大事だと思うことを二つ追加したい。

- **道徳的な問題を数値化して考えるようにさせる。**道徳の問題について判断を下そうとしている時に、定量的な情報を考慮に入れるのはとても難しい。しかし道徳を定量的に考える能力がないと、道徳的な関心を本来向けるべき対象に向けることができない。ベストな教え方はわからないが、練習させるのは無駄にならないはずだ。子供が慈善団体に寄付をしたがったら、その寄付を数字で正当化させてみよう。* 子供が自分の選んだ社会問題について調べる課題があったら、その社会問題が他の選択肢よりも重要であることを数字で示させてみよう。子供がお手伝いの分担とかおやつやおこづかいの配分が不公平だと考えたら、その不公平性をどう定量化するか聞いてみよう。

概して私たちは道徳教育について考える際、自分が身を置いている環境の中で人とうまくやっていくための良い習慣、例えば礼儀正しさや敬意などを育むことに注目しがちだ。しかし、人と話す時に礼儀や敬意をもって接する方がそうしないより良いとはいえ、現代の最重要課題を解決するには非力である。この目的から私が大事だと思うのは次のことだ。

●**集合行動への参加を促す。**政治の腐敗、気候変動、貧困と経済格差、畜産業のおぞましさなどは、個人が自分の身の周りだけ気にしていても解決しない。これらは主に、組織化、ロビー活動、規制、ボイコット、ストライキ、支配的な規範を変える運動によって解決される。これらは道徳の問題だから、その解決は集団としての私たちの道徳的義務である。もちろん、実効性ある形の集合行動のほとんどは子供には本格的に参加できないし、できたとしても多くの大人は真面目に取り合わないだろう。しかし学生自治会から公園の清掃活動や市民参加型予算まで、練習の機会を作ることはできる。大人がどう介入すれば有意義な集合行動に子供を参加させやすいかはわからないが、集合行動の力にじかに触れさせることが正しい方向への一歩であるように思う。

＊寄付したいという子供の思いに水を差さずにこれをする方法を考え出すのは、簡単ではないかもしれない。寄付したい気持ちをまず褒め、その意思が固まってから、もっと有益な方向に誘導するのがよいだろう。

16. 何が「性差別発言」になる？

まあまあ合格点の回答をするなら、一般に性差別を助長する言葉の使用は性差別発言になる。性差別とは、性別やジェンダーを根拠に人を不当に差別したり抑圧したりすることだ。その可能性がある言葉の一種に、哲学でいう「厚い」評価語がある。「良い」とか「〜すべき」のような「薄い」言葉は、ほぼ何に対する評価にも使える。評価の対象についてそれほど何かを伝えるわけではない。「勇気」とか「貪欲」のような厚い言葉は違う。私が誰かを勇気があると言った場合、私は相手を褒めているだけではなく、褒める理由についても少し伝えている。つまり危険を前にして行動する能力に関連づけているのだ。厚い言葉の中には、どちらかの性にほぼ限定して使われるという意味で性別がついたものがある。もっとも、ある言葉に性別がついているからといって、それが必ずしも性差別的であるとは限らない。例えば、男性が実際に女性に比べて、その場の状況を無視した、あるいは上からものを言う説明の仕方をする傾向があり、「マンスプレイン（mansplain）（男性が女性に偉そうに説明すること〕」という言葉の誕生がこの事実に注目を集めたのだとしたら、これに関して不当に差別的な点はないと思われよう。しかし、厚い言葉に性別をつける理由がない場合、それは性差別的である。「ふしだら」がいい例だ。この言葉は女性と少女にほぼ限定して適用される。しかしさらに重要なのは、男性と少年にこれに相当する性別限定語がなく、その理由が男性と少年が性的に放縦でないからではなく、男性と少年が性的に放縦でも非難されないからであることだ。したがって「ふしだら」という言葉を使うのは、性的放縦を理由とした、女性に対する不当な差別を助長する。同じパターンで性差別的な厚い言葉の例はいろいろ考えられる。「カマっぽい」「ヒステリック」「色気がない」「ブス」など。

もう少し良い回答をするなら、**一般に、使うと性差別を助長する言葉、またはその言葉を使うことが性差別的な態度の表れである——つまり、性差別的な慣行に味方する態度である場合、その言葉は性差別的である。**前者の可能性は断定しないでおく。というのも、言葉によっては普及しすぎていて使う効果が薄まり、不明瞭で特定できない場合もあるからだ。しかし、その言葉を使う人々については問題にしたい。その言葉の使用はその人自身を語っているからだ。架空の例を挙げると、筋金入りのミソジニスト〔女性蔑視主義者」だけが自分の日記や内輪の会話で使う、女性に対する侮蔑語があるとする。目や耳にする人が限られるので、この侮蔑語自体にたいした害があるかといえば疑わしい。だが、友人が私的なメッセージにこの言葉を使っていることに私が気づいたとする。たとえ言葉が誰にも害を与えていないとしても、私が友人に釈明を求める権利はあるだろう。

とはいうものの、これは言葉に関する問いである。しかし言葉とはきわめて抽象的なものだ。言葉が性差別的かどうかを判断するためには、それが使われるあらゆる場面を一般化する必要があるが、そのほとんどに私たちは一生触れる機会はないだろう。特定の発言や発話行為が性差別的かどうかを判断する方がずっと簡単だ。「ビッチ」という言葉を例にとろう。この言葉自体が性差別的かどうかを断定するのは、使い方があまりに多様すぎてほぼ不可能だ。しかし、特定の発言に注目すれば焦点が合ってくる。女性ラッパーのリゾが「あたし100パーセントビッチだってさ」と歌っても、性差別的な態度を表明しているわけではなく、性差別的な慣行を助長してはいない。だが、私が女性をデートに誘い、断られたとする。その女性をビッチ呼ばわりしたら私は性差別主義者だろう。あるいは「ミセス」という呼称はどうだろう。誰かを「ミセス誰々」と呼ぶのはおおむねまったく無害である。相手がそう呼んでほしいと望んでいるだけかもしれないからだ。しかし、私が求職者に「ミズ」「ミセス」「ミスター」のいずれかの項目にチェックを入れさせる求人応募フォームを作成したとしよう。この場合は、私が女性にだけ、採用に差し障る可能性のある既婚未婚の情報を明らかにすることを求めている。

性差別語かどうかボーダーラインにあるとか疑いがあると考えられそうな言葉の多くは、個別事例に落とし込んでみるとわかりやすい。

「プロからのアドバイス：言葉やフレーズの意味に関する問いで困ったら、相手がその言葉やフレーズを使う時、実際に何をするかの話に置き換えよう」

17. 自分だけでは「大きな影響」が及ぼせない時に何ができる？

この問いを立てた人が話していたのは気候変動についてだったが、実はそれ以上に大きなテーマだ。道徳や政治の問題は、自分一人がしてもあまり影響が大きくないものから発展する。大きな選挙での投票、ゴミの投棄、納税、軽微な万引き、マイクロアグレッション〔日常的に行われる無意識の差別的言動〕、庶民的な地域にあって家賃が比較的高いアパートメントへの転居、少額の寄付、公有地での家畜の放牧、釣りなど。もっと正確な言い方をすれば、あなたがそれをしたとしてもたいしたことはない。しかし大勢がすれば甚大な影響がある。あなたがゴミをその辺に捨てたりキャンディを1個万引きしたり税金を払わなかったりしても、世の中は変わらず回っていくだろう。しかし皆がゴミを投棄し万引きをし脱税すれば、街はゴミだらけになり、店はつぶれ、政府は崩壊する。

哲学ではこれを集合行動問題と呼ぶ。集合行動問題とは、要するに次のようなことだ。

大勢の人がある行動を取れば非常に良い結果になるが、一人が同じ行動をしても大きな影響がない場合、どうやって人々にその行動を取らせるか。

法律か制度による解決法もある。例えば、ささいな万引きに多額の罰金を科す。釣りをしてよい人、時期、釣った魚を持ち帰ってよい場合を規制する。職場で特定のタイプのマイクロアグレッションを絶対に許さない方針を定める。多数の人のインセンティブを変えられる制度があるなら、集合行動問題への潜在的な（部分的な）解決策はある。

ただし、このような解決策には限界がある。第一に、個人の生活には、押しつけがましくて人の機微を解さない制度に介入されたくない要素がある。警官にマイクロアグレッションの違反チケットを切られることを私たちは許容できるかもしれないが、私はそんな社会になってほしくない。第二に、状況によっては、法的解決策は広い範囲で施行されないと効力がない。私の町で禁漁期を定めても、上流の隣町がそうしていなければ、釣り人は皆そちらに移動して釣るだけだ。メーカー1社が利潤追求のための環境汚染をやめたとしたら、かりに良いPRになったとしても、いずれ廃業に追い込まれるかもしれない。これは気候変動が突きつける特殊な問題の一つだ。気候変動が地球規模の現象であり、法的な解決策が国際的に施行されなければならないからには、施行には実効力を持つ国際統治機関が必要になるだろう。問題はそのような機関がないことだ。第三に、かりに例えばアメリカと中国に単独で気候変動を阻止する法律の制定が可能だとしても、両国はそれを望まないかもしれない。理由は、地球温暖化の進む現状から利益を上げることに超富裕層が固執するからでもあるし、儲かる事業を社会正義のために一方的に放棄するのは（本当にそうかどうかはともかく）バカを見る気がするからでもある。*

法的解決策や制度的解決策が機能しない場合でも、道徳的な解決策なら効果があるかもしれない。ゴミがむやみに投棄されないのは、主にゴミの投棄を良しとしない道徳的規範が保たれているからだ。私たちは学校で子供たちにゴミを投棄してはいけませんと教える。路上でのゴミ捨てを防止する目的の造語（「ゴミ捨て虫（リターバグ）」［litterbug］のような）を考案する。公然とゴミを投棄する人を非難する。清潔な暮らしを軸としたアイデンティティを構築する。ゴミの投棄をしないことが、道徳的に周りから取り残されないための条件の一つであるという期待を作る。人々はこうして、ゴミの投棄は悪いことという道徳的判断を内面化するか、他人からどう思われるかを気にしてゴミを投棄しなくなる。

このような解決策にもやはり限界がある。

第一に、道徳的規範は変わりにくい。工場飼育された家畜の肉を食べることに反対する論証には圧倒的な説得力がある。現場の基本的な事実（家畜の扱われ方、畜産業の環境への影響、廃液池や畜産業から生じる抗菌薬耐性菌による人間への公衆衛生リスク、畜産業界のロビー活動が州政府と連邦政府にもたらす腐敗、同産業で働く人々の待遇）を少しでも知っていれば、自分を欺かない限り、家畜の肉を食べることは大変な間違いだと思わずにいられない。しかし人は肉を食べるのが好きで、周りも肉を食べている。たったそれだけでこの慣行は続いてしまうのだ。

第二に、道徳的規範による動機付けはたかが知れている。権威に従う人間心理に関する心理学者ミルグラムの有名な実験（白衣を着た人物に命令されれば、人はみずから進んで他人に重大な危害を加えることを証明した）や、知名度は劣るがダーリーとバトソンの善きサマリア人の実験（ただならぬ様子で苦しんでいる人を助けるかどうかの判断が、時としてささいな約束に遅刻しそうだという程度の状況に左右されることを証明した）を見ればわかる。あるいはあなた自身が、人は正しいと思っていることを必ずしも実行しないの

＊ここではっきりさせておきたいが、私は気候変動に対する法的な解決は絶望的と言いたいわけではない。克服すべき重大な障害があると言いたいだけだ。

を身にしみて知っているに違いない。

第三に、少なくとも経済が絡む集合行動問題の道徳的解決策は、これまでのところ、個々の消費者の行動ばかりが注目されがちだった。自分が口にするものの出所を知っているか、自宅の暖房に何を使うか、どのくらいの頻度で旅行するか、再利用できる買い物袋や金属製ストローを持ち歩くかなどが、私たち一人ひとりの責任にされていた。もちろん、それらを実行するのは良いことだろう。しかしこれは、供給する側の道徳――そもそもなぜ企業が問題のある商品を私たちに売っているのか？――や、もっと根本的な、私たちの消費判断の対象をまるごと変えるかもしれない経済の構造変革に向けるべき関心をそらすものとなってはいないだろうか。

今挙げたことはすべて、ある種わかりきったことかもしれない。しかし、だとすれば、**これほど多くの知性ある大人がわかっていないように見える理由を考えてみる価値はある。**

ブースに立ち寄る多くの人は問いがあるわけでも、本気で会話を求めているわけでもない。胸から吐き出したい自分なりの考えや話があるだけだ。私としてはそれでまったくかまわない。ブースが人々にとって他ではできない自分の思いを打ち明ける場所であってくれたら、すばらしいことだ。でもたまに、一人語りとして始まったものが実のある会話に発展することがある。あるご婦人が、気候変動のせいで自分は前より自己中心的になった、とあからさまに語った。だって自分では問題解決のために何もできないのだもの。悩んだってしょうがないでしょ。自分の生活のことだけ考えた方がいい。彼女がそう言っている最中に、通りかかった女性が立ち止まって異論を唱えた。「あなた一人の行動では物事は動かないかもしれないけど、みんなで一緒に気候変動に立ち向かうことはできますよ」。私たちはただ乗り行為と集合行動について活発に議論を交わした。女性は立ち去る際、私たちが出しておいたキャンディのボウルからロリポップを取った。

「これをもらえるだけの話はしたと思うわ」

「ええ、25セント分くらいの哲学はいただいたと思いますよ」と私は答えた。するとして間髪を容れず、彼女は返した。「ま、私からの2セントはたしかに差し上げました（英語には自分の意見を謙遜して「マイ2セント」という言い回しがある）」

18.「今を生きる」べき？

この問いが意味するものは何か、たくさんの可能性が考えられるが、その一つが有名なマシュマロ・テストに表れている。マシュマロ・テストとは、子供に今食べるならマシュマロを1個、数分間待てたら2個あげると言って、行動を観察した実験だ。「今を生きる」とはこの場合、将来の大きな報酬より現在の小さな報酬を選ぶことである。私たちは通常、マシュマロ1個を選んで今を生きる子供をダメ扱いする。がまんができない、長い目で物事を見られない、意志が弱いなどと。

マシュマロ・テストに関しては私に異論はない。だがあれは極端な例だ。場合によっては将来の大きな報酬より現在の小さな報酬を選ぶ方が合理的ではないだろうか。哲学や経済では、このように遠い未来の報酬よりも現在ないし近未来の小さな報酬を選ぶことを時間割引という。割引率は人によって異なるものの、人は実際に将来を割り引いている。しかし哲学上の問いは、時間割引が合理的かどうかだ。[*]

私の考え方はそちらに傾いている。魔神が私の前に現れて、二つの選択肢を提案したとしよう。今日マシュマロを1個もらうか、20年後から先、一生マシュマロをもらい続けるか。魔神によれば、私は20年後も生きていて、今日と同じくらいマシュマロが好きで、食べすぎを自制するだけの意志力があり、一生分のマシュマロを長く楽しめるくらい生きる予定だという。一見、迷う余地のない選択だ。一生分のマシュマロの魅力は見逃せない。ところが、一つだけ難点があると魔神は告げる。20年後の私は最低の男になっている。大事にしていた人々やものをすべて捨て、ネットに入り浸ってマーベル・シネマティック・ユニバースをめぐって顔も知らない人たちと喧嘩してばかりいるだろうというのだ。

この状況で私がどちらの選択をするかははかりかねるが、次のようなことを言う自分が

＊時間割引の否定派も、条件付きなら時間割引を認めるだろうことに注意すべきである。条件の一つは確実性だ。選択肢が二つあって、現在の報酬は100パーセント確実、将来の報酬はそれより2倍良いが確実性が40パーセントしかなければ、現在の報酬を選ぶ方が合理性があると一般に誰もが考える。もう一つの条件は報酬そのものに関係する。おいしいマシュマロを食べるような、楽しみがほぼ一瞬で終わってしまう報酬がある一方で、素敵な新しい家を手に入れるような、取得するまでの時間が長いほど楽しみがふくらむ報酬もある。時間割引が合理的かどうかを問う時、私たちは（a）不確実性を調整した上で、（b）報酬が瞬時に終わるものである場合に、それが合理的かどうかを問題にしている。

想像できる。「ふーむ、未来のイアンは最低男なのか。彼にはせいぜい頑張ってと思うことにしよう。誰にでも言う頑張ってと同じ程度の気持ちでね。でも私のマシュマロをそんな奴に譲る気はない。そいつがしてきたろくでもない決断にご褒美なんか絶対にやるもんか」

いずれにせよ、この状況は実社会で多くの人がしている経験を誇張したものにすぎない。私たちは変わっていく。若かった頃の自分なら嫌悪しただろう変わり方をすることも少なくない。一日単位では気づきにくいが、人の変化とはそういうものだ。**私にとっての利益が、将来の私にとっての長い目で見た利益なら何でもいいわけではなく、今現在の私の利益になることも含まれるのだとすれば、時間割引は私にとって最大の利益を反映したものといえよう。**

時間割引を支持するもう一つの論証は、時間に依存する情動と選好の関係に注目する。私たちの情動の中には、一定の形で時間に依存するものがある。私たちが恐れるのは、将来に待ち受けているものにほぼ限られる。*私たちが後悔する対象は過去のことだけだ。といった具合に例はいろいろ挙げられる。私たちの選好と情動は、何とは特定しづらいが一定の形で結びついている。しかし、例えばもし恐怖が未来に向けられた情動であり、恐怖が選好を低下させるのが合理的だとすれば、将来の何かを過去か現在の同等のものより優先的に選ばないのは合理的な場合もある。

これは簡単明瞭なケースではない。時間割引を支持しない優れた論証もある。時間割引によって恣意的になってしまう選好もある。必ず損する愚かな賭けをしやすくなるなどだ。しかしこうした論証についてはあなたご自身で検討いただこう。

＊これにはいくつか反例がある。死ぬ可能性があった外科手術がすでに終わったとわかっているのに、それでもうまくいかなかった場合を恐れるのは合理的かもしれない。しかしこれは法則を証明する例外だ。

パート3

実は大事だった質問

1．「ケチャップ」ってスムージー？

この問いを私が気に入っているのは、多くの優れた哲学と同じ働きをする点だ。日常生活でおなじみの、何ということのない一面――この質問でいえばスムージー――を取り上げて、未知の光を当て、首をひねらせる。ケチャップを除外しつつ、当然のようにスムージーとみなされているものすべてを含む「スムージー」を定義するのは実に難しい。だがもちろん、誰かにこんな質問をされなければ、ケチャップがスムージーかどうか考えることなどなかったはずだ。

答えは、文脈によって言葉をどう使い分けるかを左右する、それとない圧力にあると私は思う。「重さ」という言葉を考えてみよう。物理学の教科書には「重さ」とは加重力を意味するとある。しかし、地球の周りを回っている宇宙飛行士は相当な加重力がかかっているのに、無重力状態にあるとされる。理由はざっくり言うと、ふつうの重量計に乗っても重さが表示されないからだ。したがって、教科書の定義を重視する文脈では「重さ」とは加重力を意味する。しかし重さはふつうの重量計を使って測るものとされる文脈では、「重さ」という言葉はふつうの重量計で測れるものという意味で使われている。

ケチャップの問いは私たちに、すべてのスムージーを含みすべての非スムージーを除く単一の定義を探させる。こんなふうに定義を追求すると、通常とは異なる――通常とは異なる普遍性を持った――意味で言葉を使わざるをえなくなる。例えば、注文したら何が出てくるか、そこそこ明確な期待を持たせることを目的とした食堂のメニューに載っているのとは、違う意味の言葉だ。そこで答えは次のようになる。**たぶんケチャップは今はスムージーだが、あなたがこの問いを持ち出さなければ違っていたはずだ。**いずれにせよ、もしあなたがケチャップをストローで飲む人だったら、医療機関を受診してください。

9歳くらいの娘を連れた女性がブースにやってきた。お母さんが「質問ある？」とたずねると、娘さんは少し考えてこのスムージーの質問をしてくれた。私たちが口を開く間もなくお母さんは「ダメ、それは哲学の質問じゃないでしょ」と却下した。だがこれはまさに哲学の問いだ。

2. 人類が火星を植民地化したら、「その土地」は誰のもの？

ひとつ考えてみよう。

まず、ここでいう所有権とは何を意味するだろうか。ごくざっくり言うと、あなたが法の範囲内でそれを好きなようにでき、誰かがあなたの許可なしに使った場合には賠償を求められるなら、あなたはそれを所有していることになる。だから誰に所有権があるかという問いは、その使い道を決める権限があるのは誰かという問いに等しい。

火星の土地の利用法には物理的な制約や実用上の制約があるかもしれないので、鉱山、科学研究の場、公園などにしかならないだろう。制約の種類によって、所有者や管理者の適性も変わってくる。しかし、火星が地球の土地と同じさまざまな使われ方をすると考えてみよう。住むことも、働くことも、遊ぶこともできる。火星の土地から有益なものを作り出し、その場所を使っていろんな活動ができる。

火星の土地の所有権を主張する集団は多数考えられる。火星の土地に最初に移住した人々は、かつての地球の探検家たちと同様、この土地は自分のものだと言うかもしれない。移住者を送り込んだ国の政府や企業は、投資の見返りを受ける権利があると言うかもしれない。火星の土地が使い物になるよう実際に汗を流した人たちは、価値を生み出したのは自分たちなのだから、その価値は自分たちに権利があるはずだと言うかもしれない。

そうした主張はそれぞれ、概念の問題と政治の問題に突き当たる（概念の問題としては、火星の最初の移住者が所有するのは火星の全土なのか、それとも自分たちが足跡を残した場所だけなのか。火星の土地が使えるようになるのは、ある程度は、そこで暮らしてきた人々全員の労働の成果ではないのか。政治の問題としては、火星に最初に人を送り込むのは最もお金のある政府か企業だろうから、火星の植民地化は経済格差を広げるだけではないか）。しかしそのいずれにも共通して、疑問符が付く点が一つある。過去を向いていることだ。彼らは将来見込まれる発展を根拠に土地の分配を正当化するのではなく、過去を根拠に権利を主張している。だが過去は過去だ。私は今後の発展に目を向けたい。

というわけで、火星の土地の分配をそこからもたらされる結果に関連づけて正当化することも可能だろうが、ここでは最善の結果を直接生み出す方法を考えよう。

土地の所有権をどうするのが最善の結果につながるかを考え出すには、リスクをともなう臆測を行うと同時に、結果の優劣を決める要素は何かという難問を解決しなければならない。私の能力を超える作業だ。

とはいえ、少なくとも一つ、最初の足がかりとして頼れる経験則がある。他の条件を同じとして、意思決定からその人が受ける影響の大きさに比例した発言権を与えるのだ。例えば、あるグループが一緒に夕食を取る場合、何を食べるか検討する最大の権限は、その意思決定に最も影響を受ける本人たちに与えるべきだ。*もちろん、何が自分にとって最も利益になるかを私たちは必ずしもうまく判断できるわけではない。しかし、意思決定の対象範囲が漠然と広い場合、あなたが被る影響について発言するのにあなたは他の誰にも劣らず適任のはずだ。一般的に、自分たちの利益に関わる意思決定の当事者か協力者になる場合、発言権を利益に比例させれば、最も影響を受ける人々にとって最も良い結果になる意思決定ができるだろう。

火星の植民地にこのヒューリスティック〔経験則による判断〕をどうあてはめられるか。おおまかな解として、**その場所に近い人ほど土地の利用に関する意思決定に大きな影響を**

受けると言える。そこで、各植民者に一定数の所有権株を与える。火星の土地を区画に分割する。火星の住人が1年間にそれぞれの区画で過ごす期間を割り出す。所有株の半分を、年間に訪れた区画で（各区画で過ごした期間に応じて）割る。残りの株はそれ以外の区画で（距離が遠くなるほど小さくなるように、ただし最も遠い区画にも最低1株は持つように）割る。こうすれば、所有者が行う意思決定から受ける影響の度合いに比例する形で、全員が区画の所有権を持つことになる。

まあ、満足な答えにはなっていないが。現実の問題を単純化しすぎた夢物語だ。とはいえ、会話の叩き台にはなる。あなたならどんな改善を加える？

*これはもう少し突っ込んで考える価値がある。グループが行くレストランは、価格と提供する料理の種類を決めているという意味で、彼らが食べるものに発言権を持つことになるが、それはまあ当然だ。グループは食べるものについて不健康な意思決定をするかもしれない。するとグループ外の人々が医療費という形でお金を出さなければならなくなる。社会は不健康な食品への課税を支持する投票をして、この意思決定に割合としてはきわめて小さな発言権を持つこともできる。食事に対するこのリベラルな民主的アプローチの大きな欠点は、食事の意思決定に参加できない生き物の利害を考慮していないところだ。グループが食べようとしている動物たちはどうなる？

火星の質問をしてくれた女の子は母親に連れられてやってきた。私たちがお母さんと話していた数分の間、女の子は走ったり、何かによじのぼったり、しゃがみこんだり、ものを手に取ってはまた置いたり、片時もじっとしていなかった。とうとうお母さんが女の子に質問はないかとたずねた。質問は奔流のごとく出てきた。火星に人が移住したらどうなる？　その土地は誰のものになるの？　いろんな人（働く人とか、会社とか、政府とか）が土地は法的に自分のものだと言い張ってもめたらどうやって解決するの？　土地の値段が正当か不当かは何で決まるの？　どう答えたものかわからなかったが、私たちがトライする前に女の子は走って行ってしまった。

3.「1＋1＝2」だってどうしてわかる？

これはふざけた質問に思われるかもしれない。質問者が、こちらを煙に巻いたり困らせたり、あるいは暇つぶしのために、1＋1＝2だと本当にわかるのかと疑問を呈しているようにも見えかねないからだ。しかしわかりきっているじゃないかと思っても、ここにはまさしく謎がある。問題は、数字をはじめとした数学的対象は観察も実験もできないことだ。少なくとも、電子や星や、私たちが日常で経験する「中くらいの大きさの固形物」〔言語哲学者J・L・オースティンの言葉〕である物体に対してできる観察や実験はできない。私たちが新たな数学的真実を知るのは、だいたいが思考によってのみであるようだ。でも、なぜそれが可能なのか。だって他のことはたいてい、思考だけで知るのは不可能ではないか。

1＋1＝2は観察からちゃんとわかる、とあなたは答えるかもしれない。リンゴが一つあって、もう一つリンゴがあれば、ほらごらん、目の前のリンゴは二つある、というわけだ。これをもっと小難しい言い方で説明すると、いわゆる不可欠性論法になる。すなわち、最も優れた科学理論はありとあらゆる数学的対象と数学的操作を引き合いに出す。科学理論が真実か真実に近いことを示すきわめて確かな証拠があるのだから、数学的対象が科学理論が述べる通りのものであるきわめて確かな証拠があるということになる。この言い分の主な問題点は、私たちの数学的知識の多くが、現実世界の物理量とは何の関係もないことだ。例えば、複素数に関するあらゆる知識は、その物理的な応用が発見される前からわかっていた。

1＋1＝2だとどうしてわかるとたずねられた時のもう一つの自然な答えは、算術の公理から証明することだろう。* しかしこれは問題を先送りするだけだ。算術の公理はどうしてわかる？

万が一まだ伝わってなかったら、念のため。**私にはわかりません。** しかし一つ可能性のある答えは、算術の公理は定義上の真実である、とするものだ。三角形には三つの辺があるとか、独身者とは結婚していない人のことであるとか、ひよこはニワトリのヒナであるとかと同じように、言葉の意味がそうなっているからそうと知っているのだ。しかし算術の公理と他の定義上の真実の間には重大な違いがある。たとえ三角形、独身者、ひよこが存在しなかったとしても、すべからく三角形には三つの辺があり、独身者が結婚しておらず、ひよこがニワトリのヒナであることは変わらず真実だろう。ところが算術の公理は、特定のあるもの、すなわち自然数が存在して初めて真実なのだ。何かが定義上の真実であり、しかも存在するものであることは、どうして可能なのだろうか。

これもまた私にはわからない。しかし、数を会社のような事物と類比してみたらどうだろう。適切な人々の集団が適切な状況の下で集まり、新会社の存在を宣言すれば、会社は存在する。一定の説明をするだけで会社を存在させることができるのだ。しかしまた、会社について説明する際、それは会社を構成する人々の活動について説明しているにすぎないことも私たちは知っている。奇妙ではあるが、まったく不可解なことではない。数もテンソル場も環もその他数学者が話題にするもろもろも、そういうものなのかもしれない

＊算術の公理として最も知られているのはペアノの公理だ。1+1=2を証明するにはペアノの公理をいくつか使うだけでいい。ペアノの公理では0を定数として使い、すべての自然数を0の後者の後者と定義する。例えば1はS(0)、2はS(S(0))、という具合だ。二つの加法の公理はx+0=xおよびx+S(y)=S(x+y)である。1+1=2つまりS(0)+S(0)=S(S(0))の証明はごく単純だ。2番目の加法の公理によればS(0)+S(0)=S（S(0+0)）である。そして1番目の加法の公理によれば0+0=0である。したがってS(0)+S(0)=S(S(0))となる。

（もっともこれらは厳密には会社と同じではありえない。会社は出現したり消滅したり時間の経過にしたがって変わっていったりするが、数はそうではないからだ）。いずれにせよ、数を私たちがどう理解するかは、数が実際どういうものかによるのではないだろうか。

4.「チキンパルメザン」ってほんとうのイタリア料理？

休暇の旅先で、ただビーチに行ったりハイキングしたり友達とダラダラ過ごしたりしたいこともある。だが、特に初めての場所に行く時などは、観光客向けでない現地の生活に触れたいと思う。地元の人と同じことがしたい。地元の人が集う場所に出かけ、彼らが聴いている音楽を聴き、地域の政治事情を肌で感じ、ご当地の食を味わいたい。むしろ、地元ならではのことをしたい。地元の人たちが他のどこでも同じように全国チェーンのファストフード店で食事をし、トップ40の曲を聴き、スーパーヒーロー映画を観ているのは別にかまわないが、それでは私は興味をそそられない（ジレンマだ。グローバル化で文化の違いはかき消される傾向にあるから、私はたぶん不本意ながら、時代遅れか、もはや過去の遺物と化しているか、もしくはわざとらしく作られたご当地ものを体験するはめになる。でもいつもあまり気にしないようにしている）。

（なぜ休暇の旅先で人がそうしたがるのかはよくわからない。好奇心のため、新しもの好きの習性、通ぶって見せたい、あるいは今の自分とは違う人生を想像させてくれるからかもしれない。どれもが少しずつ混じっているのではないだろうか。）

問題は、観光客に対して、観光客向けにわざわざ作ったり観光客の好みに合わせたりしたご当地ものを売りつけようとしてくることだ。本物を探しに行って、気がつけば本物を探しに来た大勢の一人に自分がなっている。だから本物が見つかったら達成感がある。これは一種の真正性だ。よそ者向けに作ったのではない、地元ならではの生活という意味で。

この種の真正性は相対的だ。それ自体が真正なものとして完結しているのではなく、ある文化の真正の付属物なのだ。具体的にはチキンパルメザンがこれに相当する。アメリカのたいていのレストランで出てくる中華、イタリアン、メキシカンなどの外国料理は中国、イタリア、メキシコなどで現地の人が食べている料理とはどうも違うことに、私たちはいつしか気づく。私は気づいてがっかりした。しかしがっかりしたのは正しかったのだろうか。第一に、料理がおいしければ、真正でないからといって問題だろうか。すべての経験を、異文化を知るためにしているわけではない。同じ論点があらゆる文化的商品にあてはまる。本物の（つまり真正の）ヒップホップか、パンクか、ブルースかに異常にこだわるタイプの音楽リスナーがいる。純粋に民族学的関心か歴史的関心から音楽を聴いているのであれば、こういうこだわりもまあわかる。けれどもこういう関心の持ち方は視野が狭すぎやしないか。

だがもっと本質的な論点として、それが真正の中華やイタリアンやメキシカンでないとしても、別の真正の何かのはずではないだろうか。**パルマの郷土食を体験したかったら、チキンパルメザンを求めるべきではない。でもニュージャージー州北部の郷土料理を体験したかったら、チキンパルメザンは入り口としてお勧めだ。**同じことはアメリカの中華料理店でおなじみのクラブ・ラングーンにも、アメリカ流メキシコ料理のハードシェルタコスにも言えるだろう。つまり一つには、何かが真正かそうでないかを気にすると、別の面でそれが持っている価値に気づけないかもしれない。もう一つには、真正性とは相対的で、場所や生活様式それぞれにあるのだとわかれば、思いがけない場所で真正性に出合える。

しかし真正性の種類はこれだけではない。人と会っていて、相手が何か装っているとか、こちらの期待に沿ったふるまいをしているだけなのではないかと感じることがあるかもしれない。ありのままのその人（が何を意味するかはともかく）ではないのだ。あなたは本当の文化や暮らしぶりを知りたいと思うのと同じように、あなたの期待に沿ったつもりの人間を演じたり、あなたからどう思われるか過剰に気にしたりしていない時の相手の姿を知りたいと思うかもしれない。そんな気持ちを表現する際にも真正性という言葉を使う。

だからチキンパルメザンの消費者にとって問題となる文化的な真正性に加えて、私たちが人を評価する際の人格的な真正性とでも呼ぶべきものがある。

そして料理や音楽に真正性を求めると料理や音楽そのものの良さが見えなくなってしまうように、自分や他人に真正性を求めるのは心をすり減らすし、意地悪になりかねない。酒屋の店員が私への接客で真の自分を見せず、酒屋の店員の役割を演じているだけだとしよう。だからどうだというのか。生きていくのは楽ではなく、彼の仕事も楽ではなく、お互いにもっと気にすべき大事なことがある。他人であれば取るに足りない不誠実が大きな裏切りに感じられるようなごく近しい間柄だったら、人格的な真正性はもっと大事かもしれない（かりにそうであっても、例えば私がヴァレンタインの日にパートナーにバラを贈り、彼女がそれを喜んでくれたとする。彼女が愛されている恋人の役割を演じ、私が気の利く彼氏の役割を演じているとして、それが問題になるだろうか。たとえそうだとしても素敵ではないか）。いずれにせよ、人格的な真正性を気にする場合は、いつでもどこでも無条件に気にするべきではない。無意識に相手に合わせたり印象を繕ったり役割を演じたり、そんなちょっとしたことであなたも周りの人々も生きやすくなるなら、目くじらを立てるのはやめておこう。

5.「ヒトラーが赤ちゃん」だったら殺せる？

この問いにはさまざまなアプローチのしかたがある。これを歴史のグレートマン・セオリーについての問いとして扱うこともできる（赤ちゃんヒトラーを殺していたら、ナチスの台頭につながったもっと大きな社会的要因は、はたしてその穴を埋めていただろうか）。一般論として歴史の反事実的条件をどう評価するか、という問いとして扱うこともできる（赤ちゃんヒトラーを殺していたらどうなったかを、どうやって知りうるのか。このような歴史的事件を実験によって研究するのは不可能だ）。時間旅行のパラドックスに関する問いとして扱うことさえできるかもしれない（あなたが赤ちゃんヒトラーを殺したら、あなたの誕生につながる繊細な出来事の連鎖が壊れるだろう。しかし、だとしたら、あなたが赤ちゃんヒトラーを殺すことがどうして可能なのか）。

しかしほとんどの人の頭にあるのは別の解釈だろうと思う。赤ちゃんヒトラーを殺せばホロコーストが防げていたとする（それに匹敵する悲劇は起きないものとする）。だとしても、赤ちゃんを殺してもいいとなぜ言えるのか。もっと一般化して、相手がまだ実行を考えてもいない悪事に対して罰を与えていいとなぜ言えるのか。身も蓋もない答え方をすれば、ホロコーストを防げるならよかったじゃないか、となる。救えたはずの何百万もの命の方が赤ちゃんヒトラーの命より大事だ。赤ちゃんヒトラーの殺害は比較的低コストではかりしれない効果をもたらしただろう。

そんなのただの屁理屈じゃない？　赤ちゃんや無実の人を殺すのは単純に悪であって、費用便益分析をいくらしてもその事実は変わらないよ。

赤ちゃんヒトラーを殺して得られる便益が費用を上回るという結論が出たからといって、赤ちゃん殺しに対する強い嫌悪感が消えないのは同意する。そういう強い無意識の道徳的反応をむげに否定する気もない。道徳的反応がなければ日常生活は回らないだろう。もちろん、そうした反応を常に信用すべきではない（同性愛や異人種間の恋愛に嫌悪感を持つ人はたくさんいる。そういう嫌悪感情を決定的な論証として扱うべきではない）。しかし道徳的本能を否定するには、それなりの理由が必要だ。費用便益分析だけでは明らかに納得しない人々がいる。

別の考え方をしてみよう。無意識の情動的反応の基本的なレパートリーは、先祖が生きていた特定の環境で進化したものであり、文化的伝統と個人的体験によって私たち一人ひとりの中に形成される。その反応が広まって定着したのは、その過程でトライアル・アンド・エラーのふるいにかけられて残ったからだ。しかし、テストされていない状況にもこの情動的反応が持ち込まれることがある。道徳的本能がすでにテストされた状況とは異なる状況にいる場合は、道徳的本能を信用すべきではない。水の中で目を進化させた生き物が、陸に上がってすぐに事物の大きさや距離を推し測ろうとするようなものだ。見た目にまどわされない方がいい。

赤ちゃんへの暴力に対する私たちの嫌悪感は、子供を一人前に育てるために協力する必要があり、赤ちゃんに希少な資源を集中的に投入しなければならなかったという事情の中で進化した。同様に、何も悪いことをしていない相手に危害を加える人々にことさら憤りを感じるのは、その感情が共同生活を送るために不可欠だったからだ（どうあろうと罰を与えられるのだったら、悪いことをしない、つまり周りと協力することに、何の意味があるだろう）。赤ちゃんや無実の人々への暴力に対する私たちの反応は、仲間同士が同じ反応をしなければ生き延びて繁栄できなかった先祖に由来する。しかし、赤ちゃんヒトラーのシナリオが、先祖の生きていた環境とは異なることに注目してほしい。赤ちゃんヒトラーのシナリオでは、その無実の赤ちゃんを生かしておけば何百万単位の人が死ぬことが条件としてわかっている。もし私たちが赤ちゃんヒトラーのシナリオに常に対処しなければならない世界で進化していたら、赤ちゃんや無実の人に対する感情も変わっていた可能性がある。**赤ちゃんヒトラーは、通常なら協力的な集団生活を維持する無意識の道徳的反応を致命的に危険なものに変える、よくできた例題だ。道徳的本能を信用すべきでない場合があるとしたら、まさしくこれが該当する。**

しかし、次のような考え方もある。赤ちゃんヒトラーを殺せるのなら、そもそも赤ちゃんヒトラーが生まれてくるのを防げないものだろうか。あるいは青年ヒトラーに絵描きの道をあきらめるなと説得するとか。あるいは何でもいい、赤ちゃんを殺す以外のことなら。白状すると、この考え方は本書の草稿の段階で別の哲学者からコメントとして提供された。*そこに私という人間が表れているのかもしれないし、思考実験を通じて行う哲学の何たるかが表れているのかもしれないが、自分にその発想がまったく浮かばなかったことにちょっと不安を覚えている。

*ナンシー・マクヒューに感謝。

6.「植物は思考」する？

植物はけっこうすごいことをやってのける。光、水、熱、接触などの刺激に近づいたり避けたりするように動ける。根のネットワークや空気伝いにシグナルを送り、周囲の植物に迫っている脅威から身を守る備えをさせることができる。危機に瀕すれば、同じ植物の部位同士でコミュニケーションを取ることもできる。同じ種でも親戚と他人を識別でき、前者とは協力し、後者とは資源を奪い合う。

人間がこのようなことをすると、思考や欲求などの心的状態が存在するエビデンスと解釈されがちだ。後ずさりしたのは触られるのを望まなかったからだ。棚の最上段に手を伸ばしたのはそこにクッキーがあると思ったからだ。「気をつけて！」と言ったのは、相手に危険かもしれない何かに注意してほしい気持ちを表したのだ。

反面、植物の驚くべきふるまいの多くは、意識を持たないと考えられている物体の動きとよく似ている。旧式体温計に入っている水銀は、温度変化に反応して膨張したり縮小したりする。何かから煙が出れば、知能の有無に関係なく、自分が燃えていることを近くにいる生き物に伝達している。

では、植物は人間に近いのか、それとも体温計や燃えている紙切れに近いのか。私が後者だと答えるのには、二つ理由がある。

第一に、植物のふるまいを述べるのに意識があるかのような言葉が使える一方で、意識のない物について述べるのに同じ言葉を緩く、あるいは比喩として使うこともできる（水銀が膨張「したがる性質がある」とか、「『紙が燃えている』と私たちに警報を発している」とか）。言葉が緩く使われる、または比喩なのはどういう場合で、厳密な意味ないし字義通りに使われるのはどういう時だろう。一つ妥当と思われる答えは、あるふるまいの予測や説明が、その言葉のおかげでより上手にあるいはより簡潔にでき、正確さと精密さが許容できる程度にしか損なわれない場合は、字義通りであるというものだ（実際は連続体だ。意識を表す言葉を使うことによって、予測と説明がより簡潔になり質が上がるほど、字義に近くなる。正確さと精密さが損なわれるほど、字義から遠くなる）。体温計の水銀が膨張したがるという言い方はかなり不正確で、あまり説明になっておらず、水銀が通常の気圧ではこれこれの率で膨張すると言うよりは多少簡潔であるにすぎない。植物のふるまいを意識があるかのような言葉で述べるのもだいたい同じだ。植物が光のある方に向きたがると言うのは、光屈性（試験に出ますよ）の説明にあまりなっていない。このふるまいは、進化論用語や科学用語を使えばもっと正確に、無駄に言葉数を費やさずに説明ができる。

第二に、私たち人間の思考は、二つの意味で植物のふるまいとは異なる。一つ目、私たちの思考は刺激に依存していない。例えば、私が焼き飯について考えることは、実物が目の前にある時はもちろん、今晩の献立を立てている時にも可能だ。植物は何らかの脅威に反応してシグナルを送ることはできても、脅威が身に迫っていない時に脅威についての思考はできるだろうか。二つ目、あなたや私が何かについて思考できる場合、それについて複数の思考が可能だ。リンゴの概念があるとは、リンゴについて複数の信念を持っている（リンゴの種類には赤リンゴと青リンゴがある、リンゴは木になる）だけでなく、リンゴに対してさまざまな態度を持っている（リンゴを食べたいと思う、ブルーのリンゴを想像する）こともいう。これを哲学では一般性制約という。植物がするとされる思考は一般性制約に従わないように私には思われる。植物は光に向かって動くことができるが、光について動きと無関係の思考はできるだろうか。

というわけで、**私は植物が思考できるか疑問に思っている。**植物が思考できるという想定から導き出されるものがはっきりしないのと、植物がするとされる思考は刺激に依存し、内容が限定されている点が疑わしいからだ。私たちが植物に心があると思いたくなるのは、私たちの先祖が風や川や火山に心があると思いたくなったのと同じ理由ではないかと私は踏んでいる。私たちの脳が働きすぎて何にでも心の存在を感じ取ってしまうからではないか、と。つまり、植物に心があるように見えるのは、トーストが顔に見えるのと同じようなことなのだ。私たちはつい何でも顔に見立てようとし、思いがけない場所に顔を見つけると無邪気に嬉しくなる。しかしふと我に返り、ばかばかしいと気づく。私の朝食が聖母マリアそっくりに見えたとしても、完全な錯覚でしかない。

このへんで失礼します。

7.「仏教」って宗教？　それとも哲学？

「両方」じゃダメ？　宗教に（傾向として）共通する特徴を考えてみよう。

- 特有の倫理観がある（ハラールやコーシャーなど食の戒律がある、禁忌とされる言葉がある）
- 特有の超自然信仰がある（唯一神、死後の生、転生、梵天（ぼんてん））
- 少なくとも一部の教義は一人の聖人に啓示されたと考えられている（シナイ山のモーゼ、ムハンマドの夜の旅）
- 聖典か口承がある（聖書、古代エジプトの『死者の書』、古代インドの『バガヴァッド・ギーター』）
- （多少異説があるが）入信のしるしとしての儀式あるいは信徒の条件がある（洗礼、ユダヤ教の母系主義〔母親がユダヤ人であること〕）
- 宗教的権威の階層がある（僧、司祭、導師、シャーマン）

・儀式がある（祈り、瞑想、人生の節目を祝う行事）

仏教にはいろいろな宗派があるが、そのほとんどが今挙げた特徴をすべて備えている。輪廻から解放されるための八正道（はっしょうどう）はおおむね倫理体系といってよいし、転生は超自然信仰であるし、少なくとも一部の仏教徒は多数の神々やこの世のものではない存在を信じている。仏教では教えの大半がブッダに明かされた、もしくはブッダが悟りによって真理（法（ダルマ））を発見したことになっている。仏教には宗派ごとにパーリ経典のような独自の聖典がある。宗派によって信徒の定義は異なるものの、四諦（したい）〔四つの聖なる真理〕を受け入れている人は仏教徒であるというのが最も異論のない定義だろう。仏教には僧がいる。仏教には祈り、瞑想、その他の儀式がある。仏教だけがあてはまらずその他すべてにあてはまる「宗教」のギリギリ成立する定義はきっと考案できるが、かなりのこじつけが必要だろう。そこまでやる？

その一方で、過去に話をしたことがある仏教徒は口をそろえて、仏教は哲学であって宗教ではないと主張した。*今の私は彼らの胸にあったことを100パーセント理解できているわけではない。慎重に推論を重ねた結果、仏教を信仰し実践するに至ったという意味かもしれないし、どこを突かれても理論的に抗弁できる、はたまた矛盾するエビデンスに鑑みて自身の考えを改めるのはやぶさかでないという意味かもしれない。無我、真俗二諦（しんぞくにたい）、八正道の倫理的要素など、仏教思想は哲学の問いに、少なくとも部分的に答えているという意味かもしれない（自己とは何か？　今の自分が2歳の時の自分と同一であるのはなぜか？　現実の基本構造はどうなっているのか？　私はいかに生きるべきか？）。自分の宗教を捨てずに仏教の信仰と実践を受け入れることが（人によっては）可能だという意味かもしれない。一連の信仰と実践を哲学と呼べば、正しいかどうかはともかく、箔がつくというだけのことかもしれない。いずれにせよ、私は反論しない。もちろん、子供の時から仏教徒として育っていれば、慎重に推論を重ねて仏教を信仰するに至ったわけではないし、宇宙論や神学的な教義を持つ宗派の仏教は、表向き他宗教の教義とは両立しない。しかし、仏教を哲学と呼ぶことが、仏教を熟考しつつ批判的に実践する人は結果として哲学していると言うのと同じだとすれば、なるほどたしかにそうだろう。

＊仏教は哲学だという言い回しは、仏教が「近代化」された形で西洋に輸出されたことに呼応するとの意見も昔からある。そうかもしれないが、仏教は哲学だと主張する人の数の多さそのものが興味深い。私が接した中には、ヨーロッパ系アメリカ人の仏教徒もいれば、日本で生まれ育ったいわゆる土着仏教徒もいる。

でも、ほとんどの仏教徒は仏教徒のコミュニティで仏教徒として育てられたんでしょ。親に教わったからとか、自分が所属する社会集団で行われていることだから、という理由で信仰や行いを守っているとしたら、哲学にはあたらないいんじゃないの？

親やコミュニティに教えられたことを無批判に何も考えず信じているだけなら、その信念を哲学と呼ぶのは誤った印象を与える、というのは同意する。哲学者が推論の果てに達した結論と同様に理（ことわり）を追求した結果に見えてしまうからね。

しかし「無批判に何も考えず」がポイントだ。いくつか理由がある。

第一に、哲学的推論はその人が生きている時代と場所の常識にたどりつく傾向がある。古代ギリシャの哲学者たちは他の古代ギリシャ人と同じ意見に落ち着き、中世のキリスト教徒の哲学者たちはやはり中世のキリスト教徒だった。カントの実践倫理学の結論は、彼の精緻な推論をもってしても、ありふれた18世紀プロイセンのルター派キリスト教思想だった。* いずれのケースも、どこまでが社会通念でどこからが哲学かを判別するのはほぼ不可能だ。それでも、彼らはすべて哲学者だと考えて間違いない。

第二に、哲学的推論には出発点が必要だ。（少なくとも暫定的に）起点とする基本的前提が、周囲の人々が信じていることであってなぜいけないのか？

第三に、哲学を持つことと哲学することとは分けて考えるべきだ。哲学的な問いにいつでも答える用意があるなら、哲学を持っていることになる。誰かには哲学があると言うと、その人の信念に特別な地位を与えているかのように聞こえるが、そうであってはならない。一貫性がなくても、あいまいでも、考えが浅くても、哲学は持てる。それに対して、哲学するとは、自分や他者の哲学的見解について推論し、精度を上げ明確化しようと努力することだ。ある信念が哲学した結果生まれたものだとすれば、そこにはある種の真剣さか重みがあって、他の信念と一緒くたにはできない。おそらくすべての仏教徒は哲学を持って

＊フリードリヒ・ニーチェはいつもうまいことを言う。「カントのジョーク。カントは平凡な人間が正しいことを、平凡な人間を唖然とさせるような方法で証明しようとした。それはこの男の秘密のジョークだった。カントは学者たちに抗して大衆の偏見を支持する論文を書いたが、大衆ではなく学者向けに書いたのだ」

いるが、その信念と実践をもって哲学しているとみなせるのは一部の仏教徒だけ、ということになるだろう。

最後に、西洋の哲学者には、ただの宗教だからという理由でヨーロッパ的伝統の外にいる人の書物や思想を無視してきた、お恥ずかしい歴史がある。その歴史と決別するために必要ならば、仏教を哲学と呼ぶことに私は大賛成だ。

8.「愛される駄作」があるのはなぜ？

駄作なのに、あるいは駄作だからこそ好きだという人々がいる。ザ・シャッグスのアルバム『フィロソフィー・オブ・ザ・ワールド（「シャッグスの世界哲学」）』とかヨーロッパ各国代表が出場する歌の祭典ユーロヴィジョンで有名になった「マイ・フレンド」や「フェイスブック、ウー・ア・ア」、映画でいえば『ザ・ルーム』『トロル2／悪魔の森』『スイッチング・プリンセス』、絵画なら「ルーシー・イン・ザ・スカイ・ウィズ・フラワーズ（ルーシーは花と共に空を舞う）」をはじめバッドアート美術館に収蔵された迷作の数々。総称してSBIG〔So Bad It's Good（愛される駄作）の略〕と言おう。

なぜそんなものがありうるのか。だってふつう、駄作とみなされるアート作品は嫌われるでしょう。ダメだと思うのと否定することは同じではないのか。

この問いが持ち出されたブースで、多くのSBIGは皮肉な愛の対象なのだと別の哲学者が発言した。なるほどと思ったが、そこから皮肉な愛とは何だろうと新たな疑問がわいた。皮肉というとたいてい、劇的アイロニー（観客の方が登場人物よりも、登場人物の身に起きていることをよくわかっている）と伝達手段としての皮肉（少なくとも私が気に入っている説によれば、人が相手に皮肉なふるまいをするのは、その状況でそんなことをする人間ではないと思ってもらおうとしているのだという）を考える。しかし皮肉な愛を寄せるという時の皮肉は、一般的に、演劇手法でも伝達手段でもない。何かを皮肉に愛する人は自分の置かれた状況を完全にわかっているし、特に誰かに何かを伝えなくてもかまわないのだ（さらに重要なのは、皮肉を込めてお礼を言う時は、本当は感謝していない。でも皮肉な愛は対象を本当に愛している）。私の作業仮説〔検証可能な具体性を持たせた仮説〕は次のようなものだ。あるものに皮肉な愛を寄せる場合、愛するためにはその種のものを評価するために通常用いる基準を、自覚的に遊び心をもって棚上げしなければならない。

しかしそれだけでＳＢＩＧが成立するとは私は思わない。ＳＢＩＧが良いとすれば、そこに何らかの意味での良さがあるというところが重要だ。少なくとも私に判断できる限り、**ＳＢＩＧが良いのは品格や深みや感動や洞察があるからではない。それよりも、（ａ）面白くて＊（ｂ）度肝を抜かれるから良いのだ。**いったいどうしてこんなものが作られたのか知りたい、なぜこんなに変なのかを解明したい、という異常に強い欲望を感じるのだ。

SBIGについて知れば知るほどそれに対する感情が複雑になっていく理由も、これで多少説明がつく。ザ・シャッグスのメンバーだった姉妹の薄幸な生い立ちとバンド解散後に歩んだ人生を読んでしまうと、[**]彼女たちの音楽を楽しむ（？）のは弱者を叩いているみたいで気が引けるようになった。しかしその後、都合よくこう考えることにした。たとえライナーノートにザ・シャッグスがファンを愛していると書いてあっても、本人たちは自

＊SBIGの面白さはどこにあるのか。何かを面白いと感じるのは、他人（または過去の自分）に対して優越感を持たせてくれる時だという説を述べた哲学者がいる。これはSBIGの面白さの説明としてかなりいい線を行っているだろう。幸運にも私は、『ザ・ルーム』の製作に要した仰々しさ、気色悪さ、女性蔑視、人間が話す言葉の自然なリズムに対する鈍感さの絶妙なブレンドを持ち合わせていない（かりに持ち合わせていたとしても、この映画の製作に手を染めないだけの自覚はあったはずだ）。面白さの一般的な説明としては、優越感説は間違っている。ちょっと考えれば反証はいくらでも思いつく。しかし、私たちが笑うのは、相手より自分が優位に立っているとみなしているからだ、と言うのは間違いではないと思う。ただし、駄作がすべてSBIGとは限らないという事実は、優越感説でどう解釈されるかさだかではない。

＊＊Susan Orlean, "Meet the Shaggs," *The New Yorker*, September 22, 1999. 以下のウェブページで読める。https://www.newyorker.com/magazine/1999/09/27/meet-the-shaggs

身の演奏する音楽をたいして良いと思っていなかったし、レコードを出したのは彼女たちの意志ではなかったのだと。だから私は彼女たちを笑っているのではない（少なくとも見下す意味では）。私は彼女たちの音楽を笑っているのだ。ＳＢＩＧには、作者が駄作を作ったことを自覚しているＳＢＩＧと、自覚していないＳＢＩＧの2種類があって、そこには道徳的な意味で重要な違いがあるように思われる。後者の場合、私たちが笑っている対象には作者の自覚のなさも含まれているが、前者の場合、私たちが笑っている対象は作品そのものか、作者の笑っても大丈夫な部分なのではないだろうか。

子供の作品をＳＢＩＧと言いづらいのはそこだ。子供は一般的に自分の芸術的スキルを自覚していないが、それを笑うのはかわいそうだ。

9.「ジェリービーンズ」って好きな人と嫌いな人では味が違う？

「違う」と「違わない」のそれぞれに説得力ある論証がある。

✣

「違わない」派

ある子供がブースでこう言った。同じジェリービーンズを別々の時に食べたと考えてみて。1度目はおいしいと思う。2度目はおいしいと思わない。それは味覚が変わったからとかじゃなくて、満腹だったか、直前にキャンディを食べ過ぎたか、たまたま気分じゃなかったから。ジェリービーンズの味は同じなんだよ？　同じ人がおいしいと思う時とおいしくないと思う時でジェリービーンズの味が変わらないなら、ジェリービーンズが好きな人と嫌いな人で味が変わるわけないよね？

好きな人と嫌いな人にジェリービーンズの味を聞いたら、きっと同じ答えが返ってくると思うよ。甘い、外側が固くて中が柔らかい、ちょっとざらついた触感、口の中の水分を持っていかれる、とか。これが当たってたら、好きな人にも嫌いな人にもジェリービーンズの味は同じだっていう、いちばんわかりやすい説明になるよね。

「違う」派

もしジェリービーンズが好きな人にとっても嫌いな人にとっても同じ味だったら、味を楽しむという経験と味わうという経験が区別できなくてはならない。でもそんなことがはたして可能だろうか。甘さや柔らかさの経験に加えて、楽しむという経験が別に存在しなければならない。それってどんな経験？　どんな食べ物を楽しむ時も、そもそも何を楽しむ時も、ジェリービーンズを楽しむのと同じ経験なの？　おいしいピクルスを食べるのとおいしいジェリービーンズを食べるのが、実質的に同じだなんておかしい気がするよ。だってピクルスとジェリービーンズはまったく別物じゃないか。

同じものでも好きな人と嫌いな人では味の描写が違うことが多い。パクチーが嫌いな人は石鹸みたいな味って言うけど、好きな人はそう言わない。明らかに、パクチーは好きな人にとっては味が違う。で、ジェリービーンズの味は好きな人と嫌いな人で描写は違わないかもしれない（好きか嫌いか以外は）けど、それは単に味の違いを表現する言葉がないからかもしれない。だから、もし一般的に同じ食べ物を好きな人と嫌いな人がいて、それぞれにとって味が違うのだとしたら、ジェリービーンズも同じだよ。

✣

判定はいかに？　哲学者イマヌエル・カントは著書『純粋理性批判』の注目すべき項で、最初（少なくとも彼には）完全に納得できると思われた、難解な形而上学的な問いへの互いに矛盾する答えを支持する論証を提示している。例えば、宇宙は無限か、物質界を超越した「必然的存在者」（神のこと）はいるのか。カントは、このような論証が可能なのは、問いそのものにどこか間違いがあるからだと結論づけている。

ジェリービーンズの問いはわれらがカンちゃんを悩ませた問題ほど高尚ではないが、本質は同じではないだろうか。例えば、違う派と違わない派の対立は言葉の上だけという考え方もできる。好きな人と嫌いな人にとって、ジェリービーンズを食べたらどんな感じかについては、両者とも意見が一致するのではないか。食べた時の経験の違いを味の違いとして述べているのか否か、その一点で意見が割れているにすぎない。味にその味を楽しんだかどうかまで含まれるなら、ジェリービーンズの味は好きな人と嫌いな人で異なる。そうでなければ、味は同じだ。

　しかし、私はこれで決着がつくとは思わない。問われているのは、好きな人と嫌いな人ではジェリービーンズを食べることに、それを楽しめるかどうかの違いとは別の違いが常に、つまり必然的にあるのかどうかだ。違いの有無は断言しづらいが、その違いは無意味ではないし、絶望的なほどあいまいではないし、単なる言葉の上の違いでもない。*

　いずれにせよ、**私にできる精一杯の回答は「わからない。でもどちらかといえば味は違わない派を支持する」**だ。一つ目の論証はまずもって説得力がある。いくらおいしくても食べ過ぎれば、味が必ずしも変わらなくても「おいしい」が「おいしくない」に変わるというのは、私にはよくわかる（味が変わる可能性はある。例えば、辛いものを食べ過ぎて口がヒリヒリしてきたり、塩分を摂り過ぎて口の中がカラカラになったりすれば。でも必ずしも起こることではない）。他人になり代わってその人のジェリービーンズを食べる経験を自分の経験と直接比較することはできないが、自分がジェリービーンズを食べる経験を別々のタイミングで比較することはできる。両者は同じとみなすに十分に近い経験といえるだろう。しかし二つ目の論証はかなり弱い。訓練を受けていない素人が味を言葉で描写するのは、一般にきわめて難しいのだ。

味は違う派の論証も、よくよく見るとあやしい。一つ目の論証は、ジェリービーンズを食べるという総合的な経験をどのように要素分解するかを直観に頼っている。これは深い心理学的な問題が絡む直観で、私たちが日常的に経験するものではないので、考慮の対象にならない。二つ目の論証は、食べ物の選好の違いをすべてパクチーが好きな人とパクチーが嫌いな人の違いと同じとするあやふやな前提に依拠している。しかし食べ物の選好は

*ここでは触れずにおきたいが、味をめぐっては難しい問いがたくさんあることにも、注意する価値があるだろう。通説では味覚の中心は口だが、味わうという経験は主に鼻で決まる。味についての直観には、通説と生理学のズレがどれだけ影響するだろうか。嗅覚は五感の中で、情動をともなう記憶と最も密接な関係にある。ということは、味覚とそれを楽しむことの関係は、例えば視覚とそれを楽しむことの関係とは違うのだろうか。私たちは味覚を対象そのもの（例えば「ジェリービーンズの味」）として表現したり、対象の質（例えば「ピリッとする味」）として表現したりする。そのどちらかが本当の味覚の対象なのだろうか。だとしたら、ジェリービーンズの問いはどんな結論になるだろうか。

遺伝によるものだったり（パクチー好きなど）、文化適応によって獲得されたものだったり（特定の地域で香辛料の強い食べ物が好まれるなど）、同じ社会集団のメンバー同士でも個人的な違いが大きいものだったり（ジェリービーンズが好きかどうかなど）する。味とその味を楽しむことのつながりが、これだけ種類の異なる食べ物の選好すべてにおいて同じと期待するのはいかがなものか。

それにしても、自分の経験についての推論をこうも間接的に行わなくてはならないなんて、興味深くないだろうか。哲学の歴史には、自分の五感をまず知り、それを基盤として初めて外界についてわかる、とする古くからの伝統がある。しかし私が思うに、この手の議論を追求すれば、その伝統に疑問をはさまざるをえなくなる。

結論。あなたがジェリービーンズ好きなら、あなたは客観的に間違っている。酸っぱいやつは除く。

10. 「トンボの彫刻」を作ろうとして結果的に蜂みたいなものができたら、その彫刻はトンボ？　それとも蜂？

トンボ。 蜂の彫刻と考えたくなるのは、ひとえに表象の類似理論に引っ張られているのだと思う。類似理論によれば、対象に似ている場合にのみその対象の表象であることになる。したがって、かりに私がサイを想像するとして、その想像を（カバではなく）サイの想像たらしめている少なくとも一つの理由は、私の頭の中のイメージがサイに似ていることだ。類似理論は古来、錚々（そうそう）たる哲学者たちの支持を受けてきた。しかし、今ではそれが間違いだとわかっている理由がとりあえず二つある。

第一に、似ていなくても何かを表象しているものはたくさんある。地図上で民主党が得票した州を青で表すことがあるが、色は他のものと比べて特に政党に似ているわけではない。あるいは、私のお得意の例を出すと、子供の頃の家が夢に出てきた時、夢の中の家は実際に子供の頃住んでいた家とは似ても似つかなかったことはないだろうか（実のところその家は、今の現実の別の建物にむしろそっくりだったりする）。私が思うに、こういう夢が興味深い理由はいろいろあるが、その一つが類似理論を掘り崩すことだ。夢を子供時代の家の夢たらしめているのは、夢の中の家が子供時代の家と似ていることではないのだ。

第二に、もっと一般的に、表象の類似理論は誤表象の可能性を考慮していない。つまり、それが実際には持っていない特性を持たせているのに、その表象になってしまう可能性だ。表象の類似理論は、本来の対象と大きくかけ離れた誤表象はありえないことにしているように思われる。私がジョージ・W・ブッシュ元大統領の肖像画を描く仕事を引き受けたとする。さほど腕が良くないため、描き上げた絵は元大統領とは似ても似つかないが、偶然にも、私が存在すら知らなかったキツネザルの一種に驚くほど似ている。私はこのキツネザルの写実画を描いたのではない。ブッシュの下手な肖像画を描いたのだ。言い換えれば、私は依頼通りの仕事をしなかったのではなく、した仕事の出来が悪かったのだ。

これで、問題の彫刻が蜂の彫刻では*ない*ことは納得してもらえたかもしれないが、トンボの彫刻で*ある*理由の説明はできていない。こちらの方がやっかいだが、少なくとも答え（と私がみなすもの）の輪郭を簡単に述べることはできる。彫刻の制作にトンボが果たす因果的役割を考えてみよう。ある日、誰かがトンボを見て、この生物種を指す言葉として「トンボ」という単語を発明したと想定できる。単語が広まり、その意味は長い年月をかけて昆虫学者たちによって洗練されていった。これら昆虫学者たちによる単語の使用法が最終的に私のもとにたどりついた。今私が、口に出すにせよ心の中でにせよ、何かをトンボと分類する時は、この使用法に従おうとしている。だから、世の中にいる実在のトンボに始まり、言語を経由して、私の脳にしまわれていて私がトンボのことを考えるたびに呼び出す心のファイルに至る、特定の因果の鎖があるわけだ。そしてその心のファイルが、彫刻の制作において特定の因果的役割を果たす。一方、私の彫刻が蜂に似ているとしても、それは蜂が間接的に彫刻の形の原因を作ったからではない。単に私の彫刻の腕が悪いからだ。ここから、この件について、ひどくおおざっぱだがしかるべき説明が生まれる。すなわち、「これをトンボの彫刻たらしめているのは、彫刻の制作にトンボが果たした固有の役割である」。ま、そんなところかな（私の祖父の口癖）。

しかし、たとえ輪郭でも、これは一般的な表象理論としては成立しないことに注意を促しておきたい。特に、神話の生き物とか、すでにすたれた理論の仮定とか、タダ飯など、この世に存在しないものの表象を扱うのは厳しいだろう。これらは存在しないのだから、何かが実現する原因になるのは相当難しい。存在しない物体の表象というウルトラCを編み出せる人がいたら、その人には輝かしき新たな哲学博士号が待っている。

母親に連れられた5歳くらいの男の子がブースに立ち寄ってくれた。お母さんが別の哲学者と話をしている間に私が男の子の相手をしたら、この子はモールでマルハナバチを作る方法の説明を始めた。説明がなかなかこまかかったので、その間にトンボの質問を思いつく時間ができた。この質問を投げかけたとたん、男の子は急に固まってしまった。お母さんが間に入って、もう一度トンボの質問をしてくれた。今度は質問の意味をわかってくれた。

面白いことに、人は話題がモールかなんかであれば能弁なのに、哲学の話になると口が重くなる。単にあの子にとって質問がわかりにくかったからだろうか。ばかな発言をするのを恐れたのだろうか。それとも何か別の理由があったのか。ともかくも、本書にこの質問を入れるのはズルになるだろうが、外すのが惜しかった。他の質問は全部、ブースの訪問者から寄せられたものです。誓います。

11.「理論が単純」であるほど優れているのはなぜ？

世界についての科学理論は――常識もだが――複雑なものより単純なものの方が好まれる。この好みは、探せばあちこちに見受けられる。地球が宇宙の中心で、あらゆる惑星の軌道は真円だと思われていた時代に、天文学者たちは矛盾して見える観測結果を理解するため、自分たちの天体モデルに幾何学を駆使した付属説明を山ほど加えなければならなかった。* コペルニクスの地動説が優れていた点の一つは、こうした後付けのからくりを（完全にではないにせよ）大幅に取り除いたことだ。

最近の例では、心理学の行動主義を批判して大きな影響を与えたノーム・チョムスキーが、行動主義では動物の学習方法を説明するためにとてつもない数の「動因」を仮定しな

*「あの人は理論（または議論）に周転円を加えている」という軽蔑表現を聞いたことがあるとしたら、これが由来だ。

ければならなくなると指摘していた。さらに別の例を挙げよう。ある科学者が二つの変数のデータを集めてグラフ化したところ、だいたいU字を描くとする。ところがくねくねとのたうつ変な曲線もある。これはもっと数学を援用しないと説明がつかないが、データには正確に合致している。この科学者が典型的な科学者なら、二つの変数の本当の相関関係は変な曲線ではなく、だいたいU字形を取ると言うだろう。

この好みはごく自然なものだが、少なからず不可解でもある。だって世界はそのように単純にできていないのだから。理論が世界の何かのしくみを記述し説明するものだとすれば、理論は単純なほど良いとする好みは、誤った理解を導きそうに見える。

では、この好みに正当な裏付けを与えるものがあるとすれば何だろうか。一つの答えは、理論には物事のしくみを記述し説明することだけが期待されているわけではないという事実に依拠している。例えば、私たちはエレガントな理論や美しい理論を好むから、理論が単純なほど良いと思うのはその方がエレガントあるいは美しいからなのかもしれない。しかし何だか浅はかな理由に思える。それに、もし科学者が理論のエレガントさと美しさにそこまでこだわるなら、彼らが書く文章だってもっとましなはずではないだろうか。

同じ線で、もう少し浅はかではない考え方をすると、私たちが理論は単純なほど良いと思うのは、その方が推論しやすいからかもしれない。理論は応用して実験しなければならないものだから、もし理論が複雑すぎて応用したり実験したりできなければ、実用にならない。これはそれなりに正しいが、それなりの域を出ない。幅広い応用法がまだわからなくても喜んで受け入れられる理論はある（ニュートンから数百年経った今も、三体問題は解明されていない。三体問題とは、閉じた系の中で三つの物体の場所と速度がわかっている場合、ニュートンの運動の法則と重力の法則に従えば、その三つの物体はこれからどのように動くか、という問題だ）。

そして、ある理論で二つの変数の相関関係が記述しがたい曲線になるとしよう。一つの変数がわかっている時にもう一つの変数の値を算出するのは私にとって現実的ではないが、そのためにコンピュータがある。単純な理論ほど好まれるのが計算しやすいからというだけの理由だったら、計算機の登場でその好みはだいぶ減ったはずではないだろうか。しかし私の知る限り、そうなってはいない。

問いに答えるには、単純さと真理は両立しないというそもそもの前提を見直さなければならないだろう。単純さと真理が両立する方法は少なくとも一つある。哲学者のいう複雑な理論は、統計学や機械学習ではデータに対するモデルの過剰適合と呼ばれる。過剰適合の問題点は、バイアス－バリアンス〔偏りと分散〕のトレードオフとして説明できる。ざっくり言うと、あるデータを正確に記述するモデルほど、新しいデータに適用しようとした時に正確さが落ちるのだ。例えば、１００万個のパラメータを使ったあるモデルがサンプルを完璧に記述できたとしても、対象を広げて適用しようとするとまったく役に立たない。それに対して、わずかなパラメータを使った別のモデルはサンプルにそこまでぴったり適合しなくても、新しいデータには先のモデルよりもずっとよく適合する。前述したチョムスキーの行動主義批判も同じように説明できる。学習に関する既知の事実を説明するために仮定する内的動因の数が多いほど、学習に関する未知の事実を予測する精度は下がっていくのだ（この論点はさらに発展できる。あるサンプルにモデルを過剰適合させると、そのモデルは最終的には取り除きたい不適切なデータ、つまりノイズを含むことになる。したがって、単純な理論ほど好まれるのは、サンプル内の不適切なデータから適切なデータを選り分けやすくしてくれるからでもある）。

私たちが単純さを好むことは、既知の事実に過剰適合するのを防ぎ、より正確な予測を（そしてたぶん既知のデータのより優れた理解を）可能にしてくれるのだ。

しかしこれもやはり、完全な説明ではない。たとえ対象について望む限りのデータがそろっていたとしても、私たちはやはり複雑な理論より単純な理論を好むかもしれない。データは全部そろっているのだから、バイアス－バリアンスのトレードオフはあてはまらない。この場合は、前に述べた、真理とは関係ない実用的な理由によるのだろうか。それとも、私が見落としている単純さと真理の別の関係があるのだろうか。

12.「スーパーマン」が太陽からパワーを得ているのなら、なぜ日焼けしてないの？

ストーリー自体に一貫性があるとは言いきれないので、この問いに満足のいく答えは出せないかもしれない。しかし、なぜスーパーマンが日焼けしていないのか、考えられる説明はいくつかある。**スーパーマンはクリプトン人であり、クリプトン人は日焼けしない。日焼けとは皮膚の損傷であり、スーパーマンの皮膚は並大抵のことでは損傷を受けない。実は日焼けしているが、肌の色の変化はコミックや映画の画面ではわからない程度である。**あるいはストーリーを離れて、こんな説明もできるかもしれない。ある哲学者が出してくれた案で、[*]**スーパーマンは白さを評価する文化の産物だというのだ。**

あれこれ考えるのは楽しい。だが私は質問の答えより、相手がそもそもなぜこんな質問をしたかの方に興味がある。私の推測が正しければ、彼はスーパーマンの映画を観ていて、このささいな違和感に目がとまり、気になってしかたなくなり、映画に身が入らなくなったのだろう。この問いはまさしく哲学的で心理学的な問題を提起する。私たちをストーリーに入り込ませる何かがある。その何かは私たちに、現実の出来事に対するのとほとんど同じように、ストーリーの中の出来事に情動的な反応をさせる。特定の登場人物と一体感を感じたりその登場人物に自分を重ね合わせたりして、登場人物の体験を追体験させる。物事の見方、聴こえ方、感じ方を私たちに想像させるかもしれない。次にどうなるかが気になるのもその何かのせいだ。これを心理学では「移入」という。しかしせっかくストーリーの中に入り込んでも、外に引っ張り出されてしまうことがある。感じる対象、想像する対象、発見する対象、心を読もうとする対象が、ストーリーの中からストーリーの外に移ってしまうのだ。そこで問題は、スーパーマンの日焼けに関する疑問がなぜこの男性をストーリーから引き離してしまったのか、だ。もっと一般的には、人をストーリーに入り込ませるものは何か、ストーリーから引き離すものは何か。

（これは哲学でフィクションのパラドックスと呼ばれるものにも通じる。人がふつう、本当は嘘だとわかっているものに情動的な反応をせず、またフィクションの読者には架空の

＊再び、ナンシー・マクヒューに感謝。

話を読んでいる自覚があるとすれば、なぜ私たちはフィクションに情動的に反応するのだろう。私がさきほど提起した問題と同じく、これも人がなぜストーリーに反応するのかへの説明を求めている。おそらくフィクションのパラドックスを解く方法がわかれば、私たちをストーリーに引き込んだり引き離したりするもの全般の正体がわかるはずだ。とはいえ、ここで取り上げている問題はフィクションのパラドックスと同一ではない。第一に、フィクションのパラドックスが問題にしているのはフィクションに対する情動的な反応だけで、私たちがストーリーに引き込まれる理由すべてではない。第二に、フィクションのパラドックスが問いかけているのは、なぜフィクションに情動的な反応をするのかだけで、どういう場合にフィクションに反応するのか全般ではない。）

人がストーリーから引き離される理由はいくつか考えられる。下手なセリフや演技、ストーリー展開のテンポの悪さ、論理的な矛盾、登場人物のらしくないふるまい、「不自然な」山場、退屈さ、筋の追いづらさなど。それらにどの程度影響されるかは観客によって異なる。例えば、スーパーマンの日焼けが気になって映画に身が入らなくなる人はほとんどいない。これらの要素が厳密にどう作用するかは心理学の領域だ。しかし、哲学者が考えた一つの解釈を紹介しよう。

こんなショートストーリーがあるとする。

マスタード大佐は善良なおじいさんだが、午後になると屋敷の図書室にあるソファーで昼寝するのを日課にしていた。彼はいびきがひどく、本棚から本が落ちてきそうな大音量を出す。図書室で一日中読書をして過ごすピーコック夫人はまったく集中できなかった。夫人の苛立ちは頂点に達していた。ストーリーに入り込もうとすると、大佐のいびきに邪魔されてしまう。ある日、夫人は名案を思いついた。勇気を奮い起こして寝ている大佐にしのび寄ると、燭台で思いきり殴りつけたのだ。ようやくいびきがやんだ！　夫人は捕まらないよう証拠を始末し、読書に戻ってまもなく没頭した。マスタード大佐が死んで人々は悲しんだが、ピーコック夫人はやっと安心して読書できるようになった。彼女は心の中で自分は正しいことをしたのだと思い、その通り彼女は正しかった。

ストーリーはピーコック夫人が正義の味方であるかのように書かれている。しかしこのような約束事のストーリーはどこかしっくりこない。ストーリーを読み進めながら、読者はマスタード大佐がいびきをかくさまや、ピーコック夫人が殺人現場の証拠隠滅をする様子を想像するかもしれないが、ピーコック夫人が同居人を殺すのが本当に正しかったという想像はしない。たとえストーリーでピーコック夫人が大佐を殺したのは正しかったと言っていても、ストーリーの世界で彼女が正しいことをしたのを本当に正しいと言うのは無理があるように思われる。これは不可解だ。私たちは、X線ビジョンとスーパーパワーを持ち目からレーザー光線を発する空飛ぶ宇宙人のようなおよそ奇想天外なこと、ありそうもないことが起こるフィクションの世界を想像し、受け入れるが、ストーリーが道徳的に自分たちとは違う世界に誘うと抵抗感を覚える。なぜだろう。この小さな当惑を哲学では想像的抵抗の問題という。[*] 実は、問題は少なくとも二つある。心理学的な問題と形而上学的な問題だ。なぜ私たちはピーコック夫人が正しいことをしたという想像に踏み込めないのだろう。そして、たとえストーリーでそう言っていても、フィクションの世界でピーコック夫人が正しいことをしたのが真実でないのはなぜだろう。

ここから一つわかるのは、私たちの道徳的信念（他にも、想像的抵抗を引き起こす信念全般）は、通常の事実についての信念とは重大な違いがあるということだ。私たちは道徳的信念をとても大切に守っており、それを侵しかねない道徳的可能性は想像することさえ恐れるのかもしれない。あるいは、私たちは道徳的事実が道徳と無関係の事実に左右されると考えていて、道徳と無関係の事実に相応の調整を行わないまま道徳的事実を変更しようとするストーリーは、いわば矛盾を起こすことになるのかもしれない。はたまた（私に言わせればもっと刺激的な可能性として）、道徳的信念はふつうの事実に関する信念よりも情動とか願望とか計画に近く、道徳的可能性を想像することは事実の可能性を想像することとは単に種類が違うのかもしれない。

＊想像的抵抗が実在のストーリーで起きることを疑う哲学者もいるが、私は起きていると思う。例えば、聖書には神が人間に対して理不尽な仕打ちをする話が満載されている。「サムエル記下」で十戒の刻まれた石板を収めた聖櫃（せいひつ）を運んでいた牛がよろめき、付き添っていた男が押さえようと聖櫃に手を触れかけると、神は彼を殺してしまう（もちろん、神のしたことだから、このストーリーでは殺したのは問題なしとされている）。少なくともユダヤ教には、ミドラシュといって神の行いを正当化する解釈を試みる伝統がある。ミドラシュを主として想像的抵抗への対応と読み取るのは強引すぎないはずだ。

13. 本当に「ランダムなもの」ってあるの？

正六面体のサイコロを振った時、どの目が出るかはランダムだとふつう言われる。その意味は、ここで取り上げる確率の解釈によって何通りかに分かれるのではないだろうか。

厳密な頻度主義者による確率の解釈では、非常に多くの回数サイコロを振ったところ、どの目も出る回数はほぼ等しかったという意味になる。

仮説的頻度説による解釈では、もし非常に多くの回数サイコロを振れば、どの目も出る回数がほぼ等しくなるはずだという意味になる。

主観的ベイズ主義者の解釈では、いつどんな時に振ろうとサイコロのどの目が出てもおかしくないと6分の1の度合いであなたは考える、という意味になる。*

客観的ベイズ主義者の解釈では、ざっくり言って、あなたに使える限りの情報を前提とすれば、理想上の合理的な人物は、いつどんな時に振ろうとサイコロのどの目が出てもおかしくないと6分の1の度合いで考えるはずだ、という意味になる。

いずれの意味でもサイコロの目はランダムに（本当にランダムに！）出る可能性がある。解釈のいくつかには反事実的条件が入っているのではないかとか、人間の考えが本当に数値化できる度合いで測れるのかと疑問に思うかもしれない。しかし少なくともこうした疑問を脇に置けば、ランダム性に関するこれらの解釈はすべて、現実のサイコロの動きを正確に描写している。覚えておきたいポイントは、確率の数学理論とは、現実世界のあらゆるものをほぼ理想化して記述するために使える抽象的構造だということだ。私が確率と統計に頭を抱えていた学生時代に、誰かに教えてほしかった。

だが、この質問をしてくれた人はこれでは満足しないだろうという気がする。さきほどの厳密な頻度主義者による解釈を例に取ろう。サイコロを多数回振れば、どの目もだいた

＊「ベイズ主義者」はベイズの定理の由来ともなった確率論の初期の理論家、トーマス・ベイズにちなむ。ベイズ主義者は考える度合いを賭博になぞらえて考える。もしサイコロを振って次に出る目が5だろうとあなたが6分の1の度合いで考えるなら、5が出れば6ドル獲得し出なければ何ももらえない賭けにあなたは1ドルの賭け金を支払うだろう。しかし現実の人々がする賭け事と同じく、あなたの行動を予想するのはまさに博打だ。

い等しい頻度で出るだろうことは真実だ（少なくともほとんどの正六面体のサイコロは）。しかし、私がサイコロを振って5の目が出たとする。その後、もし私が寸分たがわず同じ力をかけてサイコロを振り、サイコロが寸分たがわず同じ転がり方をしたら、出る目は必ず5にならないだろうか。だとしたら、サイコロの目の出方は、ある意味、本当にランダムとはいえなくなる。

その意味で本当にランダムなものはあるだろうか。言い換えれば、寸分たがわぬ形で多数回繰り返しても、*毎回異なる変数が出る状況はあるだろうか。

私はあると思う。この意味で本当にランダムなプロセスとしてよく知られている例は、放射性崩壊だ。ウラン238の同じサンプルを多数とって崩壊を観察すると、原子は毎回異なる順番で崩壊するだろう。その順番はまったく予測できない。究極のランダム性だ。異論があるとしたら、量子力学の隠れた変数理論の信奉者からだ。彼らはサンプル同士にどこか違いがあるはず、つまり原子が崩壊する順番を決定する「隠れた変数」があるはずだと言うだろう。しかしこれは私の見る限り、何を信じるかの問題でしかない。

私は放射性崩壊のランダム性の高さを頻度主義で述べた。しかし頻度主義では繰り返される出来事におけるランダム性しか理解できない。ランダムな出来事の中には一回限りのものもある。例えば特定の原子が5秒後に崩壊する場合だ。頻度主義がだめなら、そのランダム性はどんな確率の解釈でうまく説明がつくだろうか。

*寸分たがわぬ形で繰り返すとはどういう意味だろうか。その状況の展開に影響するものをすべて記述してみよう。その記述にあてはまれば、別の状況も必ず寸分たがわず同じ展開になる。多少の誤差はあっても。

14. どういう場合に作品は「独創性」を欠くの？

新しく創られたアート作品はすべて、完全な独創ではない。どれほどオリジナリティに富む作品でも、ある程度は模倣したり、拝借したり、作者が持っている先立つ作品の知識に影響を受けたりしている。**質問は、模倣しすぎ、つまり問題になるほどの模倣とはどういう場合か、だろう。**

では、問題とは何だろう。少なくとも美的問題としては、模倣は作品の価値を下げる可能性がある。これは味気ない話だが、金銭的な問題になりうる。人は模写よりオリジナルの絵画に高い金額を支払うだろうからだ。しかしもっと興味深いのは、作品の楽しみ方や評価を左右する問題にもなることだ。ニッケルバックが新曲「サムデイ」を発表した時、マイキー・スミスという気鋭の音大生が、同バンドの以前のヒット曲「ハウ・ユー・リマインド・ミー」とよく似ているのに気づいた。どれほど似ているかを証明するために、スミスは二つの曲を合成したマッシュアップを作り、この曲はネットで話題になって「ハウ・ユー・リマインド・ミー・オブ・サムデイ」と呼ばれるようになった。マッシュアップへの反応は人それぞれだったが、少なくとも一部のリスナーはどちらかの曲、あるいは両方、あるいはニッケルバックそのものから離れていった。

　これはひとえに、アーティスト自身の創作者としての力量（美的才能の優劣）に対する見方に関係しているように私には思われる。バンドが自分たちの過去のヒット曲を模倣したら、ワンパターン、新味に欠ける、怠慢、陳腐だとみなされやすい。またアーティストが別のアーティストの作品を模倣したら（他人の作品そのままのコピーではなくオリジナル作品の創作を試みた場合）、それはそのアーティストが流行やトレンドに流されやすいことの表れかもしれない（この場合も、もしアーティストが音楽的知識の幅や古いアイデアを新しい文脈で生かす技巧を見せる形で他のアーティストを引用したのであれば、模倣ではない）。アート作品に対する私たちの評価は主に（完全にではなくても）、作品からうかがえるアーティスト自身の力量に着目する。だから問題になるのだ。**作品が独創性に欠けるのはこのような場合、つまり模倣がアーティストの創作者としての欠陥を露呈している場合だろう。**

ブースを訪れた一人のアーティストが、この件に関する私の考えを変えた。私は著作権と特許の制度全体がいかに破綻しているかについて持論を述べたと思う。すると相手は、特許は自分にはちょっと違う効用があるのだと教えてくれた。彼女は新しい連作に着手したり新しい技法を考案したりするたびに、特許を申請するという。そして認められていた！　このアーティストは自分のアートの特許を山ほど持っていた。ただし、作品は売っても、特許で稼ぐつもりはなかった（実際に特許権を行使したことはない）。彼女が求めていたのは自分の作品のオリジナリティに対する公的な認定だった。本人の考えではアート界には（そしてどうやら著作権も）そこまでの力がないのだ。この人のように、創作活動だけで食べていければいい、自分の「知的財産権」には作品を認めてもらう以上のことは求めない、というアーティストや発明家はどれだけいるのだろう。

15.「好きな動物」は何？

ウィキペディアを使ったこんな遊びがある。何でもいいので適当なページを表示する。ページの中の最初のリンクをクリックし、別のウィキペディア記事に飛ぶ。これを繰り返す。哲学のページにたどりつくまでに何回クリックするか数える。

（今やってみた。こうなった。ネオダクティロタ〔蛾の一種〕、キバガ科、蛾、昆虫、ラテン語、古典言語、言語、言語体系、フェルディナン・ド・ソシュール、スイス、主権国家、国際法、国家、共同体、分析のレベル、社会科学、知識、専門分野（学問）、事実、現実、心の対象、客体（哲学）、哲学。私の得点は22だった。）

ウィキペディアゲームから一つわかるのは、あらゆるテーマによくよく目をこらせば哲学に何がしかのつながりがあるということだ。ただし、ウィキペディアゲームには少々誤解をまねく点がある。このゲームはどの記事も前の記事より抽象的になっていき、抽象度が一定に達したら哲学になるというしくみだ。しかし哲学につながる方法はそれだけではない。具象の世界の不可思議な部分と遭遇すれば、やはり哲学が立ち現れる。

そこで、好きな動物についての質問だ。**一つの答え方は、最も哲学を誘う動物、最も面白い哲学的な質問ないし結論につながる動物を考えてみることだ。**ブースでこの質問をされた時、**私が最初に答えたのはチョウだった。**イモムシは周囲の環境を学ぶ能力がある（食べ物のあるところなど）。それからサナギになり、チョウの姿で出てくるが、それでも自分がイモムシだった時に学んだことを覚えている！　それだけではない。イモムシはサナギの中にいる時、体のパーツごとにチョウに変身するのではない――いったんドロドロの液体になり、それからチョウに成長する。しかしこれは、単一の記憶ないし知識がイモムシ、ドロドロの液体、チョウとまったく異なる三つの物理的形態をとるということにならないだろうか。だからといってイモムシに魂のようなものがあるとは思わないが、一つの心的状態が三つのまったく異なる物理的体系に実現する、つまり形を取ることを意味するのはたしかだ。世界のしくみは美しく不思議ですばらしい。

生物学的に死なないある種のクラゲで答えてもよい。私はそんな生を望むだろうか。何を得て何を失うだろうか。人間の生がはたしてこのような生物学的不死と相容れるだろうか。

サンゴ礁で答えてもよい。サンゴ礁は単一の有機体である。なぜそんなことがありうるのか。私たちは自分を取り巻く環境の中の有機物や無機物とさまざまな共生・依存関係にある。そのさまはサンゴ礁とよく似ている。私たちとDNAを共有していない無数の有機体が私たちの腸内や顔面に棲息している。人間が時間と空間のどこで始まりどこで終わるのかは、私たちが通常考える通りなのだろうか。それとも人間はサンゴ礁のように無限に広がった存在なのだろうか。物質のあり方を確定するものは何だろうか。

しかしこれらは私の例にすぎない。読者もご自身で例を考えてみてほしい。

男の子は私に好きな動物を質問する前に、「ロードレイジ」というビデオゲームをやったことがあるかと聞いてきた。この子にそのゲームのどこが好きなのかをたずね、それを美感的判断について、あるいはビデオゲームはアートかという議論に持ち込むこともできたはずだが、とっさに頭が回らなかった。会話を哲学に引き寄せるのはどんな場合でも可能かもしれないが、必ずしも簡単ではない。

おまけ

哲学を独学するベストな方法は？何から始めたらいい？

本書を読んでください。

何やら、これでは足りない、という方は、「参考文献と推薦図書」の項をご覧ください。

いい、い、い、それでもまだ足りないという方には、さらに深く探求する方法がいろいろある。良質な哲学ポッドキャストは Hi-Phi Nation, Examining Ethics, Elucidations, History of Philosophy without Any Gaps, New Books in Philosophy などたくさんある。ユーチューブで Wi-Phi（Wireless Philosophy）のチャンネルを見てもいいし、ブライアン・マギー（Bryan Magee）のインタビューを探してもらってもいい。アストラ・テイラーの『民主主義とは何か』（Astra Taylor, *What Is Democracy?*）やラウル・ペックの『マルクス・エンゲルス』（Raoul Peck, *The Young Karl Marx*）のような哲学に関する本格的な長編映画もある。

「私たちの多くは他人から最高の学びを得る。私が主催している公共哲学のイベントシリーズである、ブルックリン・パブリック・フィロソファーズ（Brooklyn Public Philosophers）のホームページ（bkpp.tumblr.com）には『哲学者だけど質問ある？』ブースのほか、講演会、フェイスブックページ、その他多数のメニューがある。ほとんどの読者がそうだろうが、あなたもニューヨーク在住でない場合は、お近くの大学の哲学科のウェブサイトでトークイベントなどの催しをチェックしてもよい。もしお住まいの地域に哲学コミュニティがなければ、あなたが立ち上げてもいいのだ！　哲学ディスカッショングループの設立については、SOPHIA（アメリカ哲学協会）に相談してみよう」

哲学に親しむには歴史上の哲学者の最も有名な大著、例えばプラトンの『国家』、ヒュームの『人間本性論』、カントの『純粋理性批判』などを読むのが一番だと考える人もいる。私の高校時代の友人はこれらを脂っこい本と呼んでいた。しかし脂っこい本は必要以上に理解が難しいことが多いので、現代の哲学者は主にエッセイで発信している。『The Norton Introduction to Philosophy（ノートン社の哲学入門）』〔未邦訳〕のような、良質な入門的エッセイのアンソロジーを手に取ることをお勧めする。

私の好きな哲学書を聞かれることがある。一冊に絞れないが、しいて挙げるならJ・L・オースティン『オースティン哲学論文集』〔監訳：坂本百大、勁草書房、１９９１年〕、ルドルフ・カルナップ『Der logische Aufbau der Welt（The Logical Structure of the World〔世界の論理的構築〕）』、ポール・グライス『論理と会話』〔邦訳：清塚邦彦、勁草書房、１９９８年〕、カール・ヘンペル『科学的説明の諸問題』〔邦訳：長坂源一郎、岩波書店、１９７３年〕、ソール・A・クリプキ『名指しと必然性』〔邦訳：八木沢敬／野家啓一、産業図書、１９８５年〕、W・V・O・クワイン（Quine）『Ontological Relativity & Other Essays（存在論的相対性と他の論文）』、マーク・ウィルソン（Mark Wilson）『Wandering Significance（逸脱する意味）』である。

今挙げた本の著者は白人男性ばかりで気が引けるので、私が愛読する論文には女性著者が執筆したものもあると付け加えさせていただく。『The Oxford Handbook of Contextual Political Analysis（オックスフォード文脈的政治分析ハンドブック）』収録のルイーズ・アントニー（Louise Antony）「The Socialization of Epistemology（認識論の社会化）」、ナンシー・バウアー（Nancy Bauer）『How to Do Things with Pornography（いかにしてポルノグラフィーで物事を行うか）』収録の「Pornutopia（ポルヌートピア）」、『Philosophical Studies』誌

174, no.1（2017年）47〜64ページ収録のエリザベス・キャンプ（Elisabeth Camp）「Why Metaphors Make Good Insults（なぜ隠喩は良い侮辱になるのか）」、アンジェラ・デイヴィス『監獄ビジネス――グローバリズムと産獄複合体』〔邦訳：上杉忍、岩波書店、2008年〕の第3章と第6章、ルース・ガレット・ミリカン（Ruth Garrett Millikan）『Language: A Biological Model（言語――生物学的モデル）』収録の「Pushmi-Pullyu Representations（オシツオサレツの表象）」、マーサ・ヌスバウム（Martha C. Nussbaum）『Love's Knowledge（愛の理性）』収録の「Love's Knowledge（愛の理性）」および『Philosophy & Public Affairs』誌24, no. 4（1995年）249〜291ページ収録の「Objectification（客体化）」、『ニューヨーク・タイムズ』紙の哲学コラム「ザ・ストーン」掲載の「Why Life Is Absurd（なぜ人生は不条理なのか）」（https://opinionator.blogs.nytimes.com/2015/01/11/why-life-is-absurd/ で読める）。

もちろん、非西洋世界にもたくさんの優れた哲学がある。お勧めを挙げよう。アヴィセンナ（イブン・シーナー）の「空中浮遊人間」説（https://www.davidsanson.com/texts/avicenna-floating-man.html で読める）、アレクサス・マクラウド（Alexus McLeod）『Philosophy of the Ancient Maya: Lords of Time（古代マヤ文明の哲学――時間の王たち）』、フィリップ・アイヴァンホー（Philip J Ivanhoe）、ブライアン・ヴァン・ノーデン編（Bryan W. Van Norden）『Readings in Classical Chinese Philosophy（中国古典哲学アンソロジー）』の孟子、墨子、荘子の章、ジェイ・L・ガーフィールド（Jay L Garfield）英訳の龍樹（ナーガールジュナ）『中論』第24章、思想誌『Aeon』掲載のセバスチャン・パーセル（Sebastian Purcell）「What the Aztecs can teach us about happiness and the good life（アステカ族が幸福と良い人生について教えてくれること）」（https://aeon.co/ideas/what-the-aztecs-can-teach-us-about-happiness-and-the-good-life で読める）、ネイティブアメリカンのソゴイェワファ（Sogoyewapha）「Red Jacket on the Religion of the White Man and the Red（白い人間と赤い人間の宗教）」（https://www.bartleby.com/268/8/3.html で読める）、家族と国家の関係を取り上げた『孝經』（http://chinesenotes.com/xiaojing/xiaojing001.html で読める）、仏典の1つで自己についての『The Questions of King Milinda（ミリンダ王の問い）』（https://www.budsas.org/ebud/ebsut045.htm で抜粋が読める）、エチオピアの哲学者ゼラ・ヤコブ（Zera Yacob）の『問いあるいは「論文」（Hatära or "Treatise"）』（http://www.alexguerrero.org/storage/Zera_Yacob.pdf で抜粋が読める）。

謝辞

表紙には私の名前が載っているが、この本は大勢の人々の力でできている。ブルックリン公共図書館には「哲学者だけど質問ある？」ブースの運営資金とスケジュール設定を援助いただいたのをはじめ、ニューヨーク市の哲学活動に多大なご協力をいただいている。運営資金はアメリカ哲学協会ベリー基金とヒューマニティーズ・ニューヨークにも援助いただいた。

ブースに場所を提供してくださったのはグロウNYCのグリーンマーケット、ターンスタイル・アンダーグラウンド・マーケット、ブルックリン・ブック・フェスティバル、ソクラテス・スカルプチャー・パーク、ブライアント・パーク、ブルックリン・プライドパレード、IMPACCTブルックリン、フラットブッシュ・アベニュー・ストリートフェア、ウエストエルム、シティ・ポイント、ブルックリン美術館前マーケット、SEPTA、メトロポリタン・トランスポーテーション・オーソリティー、（ラジオ形式では）WNYC局のアリソン・スチュアート司会の番組「オール・オブ・イット」。

本が誕生するきっかけを作ってくださったのは編集者のスティーヴン・S・パワーであ

る。彼がいなければこの本はなかった。

そして「哲学者だけど質問ある？」ブースに時間と労力と専門知識を捧げてくださった哲学者の皆さんにはどれだけ感謝しても足りない。ここにお名前を挙げさせていただく。レスリー・アーロンズ・スチュアート、ベン・エイベルソン、エリカ・エイブラハム、ゼド・アダムズ、ローマン・アルトシューラー、カルロ・アルヴァアロ、ヴィニー・アンドレアッシ、エルヴィラ・ベイスヴィッチ、マーガレット・ベッツ、ジョー・ビール、キャリー＝アン・ビオンディ、D・ブラック、アダム・ブラジェイ、マイケル・ブレント、エヴァン・バッツ、クリスティーナ・カマラノ、クリスティ＝リン・カサーロ、ケヴィン・セデニョ＝パチェコ、イグナシオ・チョイ、スカイ・クリアリー、ジェシー・テイラー・クルス、ゾーイ・カンリフ、ヘンリー・カーティス、ライアン・フェルダー、フィービー・フリーゼン、ケイト・ゴッビ、アンナ・ゴットリブ、デイナ・グラベルスキー、パメラ・グアルディア、アレックス・ゲレーロ、ビクシン・グオ、ノア・ハーン、イーサン・ハラーマン、ジェフ・ホルツマン、ブライアン・アーウィン、マリリン・ジョンソン、ジェニー・ジャッジ、ジャスティン・カリーフ、ローラ・ケイン、ジョナサン・クワン、アーデン・コーラー、ゾーイ・ラヴァリー、セリーヌ・ルブーフ、クレセント・マリ・メイソン、アンドリュー・マクファーランド、リー・マッキンタイア、ジョシュア・ノートン、クローディア・ペイス、コニー・ペリー、ジャンヌ・プルースト、キアニー・チン、シヴァニ・ラダクリシュナン、リック・レペッティ、ブライアン・サックス、グレッグ・サルミエリ、ミリアム・ショーンフィールド、ダミオン・スコット、ジェニファー・スクロ、カサンドラ・シルヴァ・シビリン、バート・スラニンカ、ジョアンナ・スモレンスキー、アレックス・スティアーズ＝マックラム、クリストファー・ステインズヴォルド、アリ・サイアッド、トラヴィス・ティマーマン、キホーテ・ヴァシラキス、デニース・ヴィガニ、ポール・デヴリーズ、トーマス・ホイットニー、マシュー・ヤング、他に私がお名前を挙げそびれたすべての方々。ナンシー・マクヒューとデレク・スキリングスは原稿の段階で有益なコメントを寄せてくださった。

私のパートナーのジェン・オーティス、両親であるデヴィッド・オラソフとシャロン・スペルマンは物心両面でブースの運営を支えてくれた。そしてもちろん、この本に命を吹き込んでくれたのは、ブースに立ち寄っておしゃべりしてくれたすべての方々のアイデアと関心事と個性である。この本はあなたがたのために書いた。

訳者あとがき

ＡＩがいずれホワイトカラーの職を奪う、と言われ始めてだいぶたちます。人間ならではの価値を出せる思考法はどうすれば身につくのでしょうか。「自分の頭で考えよ」『なぜ』を繰り返せ」などとよく言われますが、具体的にどうすればいいのか。本書はそんな思考の具体例です。

つまり、この本は哲学の教科書ではなく、問題集といえます。お題に対して哲学者である著者が回答していますが、あくまで回答「例」であって「正解」ではありません。ここが哲学のミソ。「哲学って何？」の章でこんなエピソードが出てきます。著者は大学の授業で哲学的な問いの例を示した時、学生から「ああ、本当の答えが出せない問いのことなんですね」と言われると、そういう決めつけに抵抗するようにしているそうです。一問一答式に安易に答えを求める発想は、哲学ではないのです。ちなみに、一問一答式に正解が存在する問題はＡＩが最も得意とするところです。

著者の回答は屁理屈に思えたり、煙に巻かれたように感じたりするかもしれません。でも、簡単に「なるほど、そうだよね」と納得したがるのは悪い癖なのかもしれない、とこの本を訳していて反省しました。自分はふだん、読書を情報の消費だけで終わらせてしまってはいないかと。そして、自分のものの考え方がいかに雑だったかと。

著者の思考の筋道が時に屁理屈に見えるのは、自分が慣れ親しんだ発想とは違うから。イアン先生は常識の枠の外へと果敢に踏み出していきます。しかし、まったくの徒手空拳で挑んでいるわけではありません。思考の道具として、哲学の先人たちが築いた概念や手法を使っています。教科書ではないので、哲学の概念や手法を体系的に解説しているわけではありませんが、巻末にお勧めの哲学書や参考リンクが紹介されています。あとは「ググってください」。

既存のアイデアや大勢の人に支持された答えなら、グーグル先生が教えてくれます。グーグルが知らない問いや答えを出せたなら、それが自分の価値になります。この本を読んで著者の思考回路に違和感や抵抗を覚えたら、思考の筋肉を鍛えるチャンスと思っていただけるとうれしい。私はかなりなまっていました。物事を考えているつもりで、先入観の中だけでわかった気になっていたのだと痛感しました。体の筋肉と同じく、思考の筋肉も動かすうちに可動域が広がっていきます。

著者の言う通りこの本はどこから読んでいただいてもかまいませんし、抽象的なパート1より、身近な問題を取り上げたパート2から読み始めていただいた方がとっつきやすいかもしれません。目次から興味を引いたお題を拾い読みするのもよいと思います。たまにプライベートな話をしたりジョークを飛ばしたりしながら付き添ってくれるイアン先生と一緒に、思考の筋トレをしてみませんか。

訳注は〔 〕の形で入れさせていただきました。

最後に、お世話になりましたサンマーク出版の武田伊智朗さんとオフィス・カガの加賀雅子さんに御礼申し上げます。

Marcel and Bisiach, eds., *Consciousness in Modern Science*（以下で読める：http://cogprints.org/254/1/quinqual.htm）

- 嗅覚（と味覚についても少し）の哲学と科学の概論（p.239）：Ann-Sophie Barwich, "Making Sense of Scents: The Science of Smell," *Auxiliary Hypotheses*（以下で読める：https://thebjps.typepad.com/my-blog/2017/01/making-sense-of-scents-the-science-of-smell-ann-sophie-barwich. html）

- 想像的抵抗の問題、フィクションのパラドックス、移入の問題全般の解明に一役買うかもしれない、アリーフ（信念のような心理的状態）についての魅力的な議論（p.251）：Tamar Gendler, "Alief and Belief," *The Journal of Philosophy* 105, no. 10（2008）: 634–63

-「確率」と「その長所短所」をめぐるさまざまな解釈の比較的簡単な概論（p.256）：David Hugh Mellor, *Probability: A Philosophical Introduction*

-「芸術の複製の意義」についての古典的議論（p.260）：『複製技術時代の芸術』ヴァルター・ベンヤミン著、佐々木基一編集解説、晶文社、1999年（Walter Benjamin, "The Work of Art in the Age of Mechanical Reproduction," reprinted in his *Illuminations*, trans. Harry Zohn［以下で読める：https://www.marxists.org/reference/subject/philosophy/works/ge/benjamin.htm］）

- 著作権法をドラマ仕立てにするとともに、模倣と独創性というテーマに関して哲学的に大きく前進するという離れ業をやってのけた物語（p.262）：Spider Robinson, "Melancholy Elephants," *Analog*, June 1982（以下で読める：http://www.spiderrobinson.com/melancholyelephants.html）

- 時間的・空間的に不思議な境界線を持つ動物たちの哲学的な意義（p.263）：Derek Skillings, "Life is not easily bounded," *Aeon*（以下で読める：https://aeon.co/essays/what-constitutes-an-individual-organism-in-biology）

"Against Time Biases," *Ethics* 125, no. 4 (2015) : 947–70

- ケチャップの問いに答えた際の「重さ」の例示と、一定に見える言葉の意味が物事の評価方法が変われば変化することについての一般的な説明（p.202）：Mark Wilson, *Wandering Significance*

- 私有財産によって提起された哲学的問題の優れた概論（p.204）：Jeremy Waldron, "Property and Ownership," *The Stanford Encyclopedia of Philosophy*（以下で読める：https://plato.stanford.edu/entries/property/）

- 数学の哲学における面白くてあっと驚く問題（p.209）：Eugene Wigner, "The Unreasonable Effectiveness of Mathematics in the Natural Sciences," *Communications in Pure and Applied Mathematics* 13, no. 1 (1960)（以下で読める：https://www.dartmouth.edu/~matc/MathDrama/reading/Wigner.html）

- 真正性についての複数の考え方とそれらがどのように対立しうるかについての、突飛で衝撃的な見解（p.213）：Rebecca Roanhorse, "Welcome to Your Authentic Indian Experience™," *Apex*, August 8, 2017（以下で読める：https://www. apex-magazine. com/welcome-to-your-authentic-indian-experience/）

- 無意識の道徳的判断と意識的な道徳的判断の区別の本質と意義（p.218）：Joshua Greene, "Beyond Point-and-Shoot Morality," *Ethics* 124, no. 4 (2014) : 695–726（以下で読める：https://psychology.fas.harvard.edu/files/psych/files/beyond-point-and-shoot-morality.pdf）

- 無垢な者を傷つけることへの嫌悪感を扱った奇怪で示唆に富む映画（p.219）：『ザ・チャイルド』（ナルシソ・イバネッツ・セラドール監督）(Narciso Ibáñez Serrador's *Who Can Kill a Child?*)

- 何かが思考力を持っているかどうかは、それについて思考にまつわる言葉でどれだけ簡潔に述べられるかどうかである、とした斬新な議論（p.221）：Daniel Dennett, "Real Patterns," *The Journal of Philosophy* 88, no. 1 (1991) : 27–51（以下で読める：https://ruccs.rutgers.edu/images/personal-zenon-pylyshyn/class-info/FP2012/FP2012_readings/Dennett_RealPatterns.pdf）

- 私よりもずっと仏教に詳しい人による、仏教についての同じ結論（p.225）：Evan Thompson, *Why I Am Not a Buddhist*

- ジェリービーンズの例のバリエーションと関連するエビデンスを使って、意識の常識的な理解に波を立てようとした議論（p.235）：Daniel Dennett, "Quining Qualia," in

厳密だが格段に面白い批評（私が好きな哲学ポッドキャストの第1回目でもある）（p.156）：S01E01, “The Wishes of the Dead,” *Hi-Phi Nation*（以下で聴ける：https://hiphination.org/complete-season-one-episodes/episode-one-the-wishes-of-the-dead/）

- 「引退と加齢が弱さや習慣的な思考の限界を教えてくれる」という考えを私がお借りしたエッセイ（p.158）：Jan Baars, “Aging: Learning to Live a Finite Life,” *Gerontologist* 57, no. 5（2017）: 969–76

- 「精神疾患は有害な精神の機能不全である」という説の詳述と擁護（p.162）：Jerome Wakefield, “The Concept of Mental Disorder,” *American Psychologist* 47, no. 3（1992）: 373–88

- 「無知のヴェール」という考え方と「それが公正な契約」という考え方とどう関係するかについての優れた説明（p.166）：『これからの「正義」の話をしよう ── いまを生き延びるための哲学』マイケル・サンデル著、鬼澤忍訳、早川書房、2010年（第6章）（Michael Sandel, *Justice*, chap. 6）

- 軽い内容の本書では出てこなかったたくさんの面白い哲学的問題に踏み込んだ、「専門家に対する信用」についてのもう少し高度な議論（p.176）：David Coady, *What to Believe Now*, chap. 2

- 道徳教育の目的についてのさらに深い議論と、ここで私がした提案を裏付けるエビデンス（p.182）：Bart Engelen, Alan Thomas, Alfred Archer, and Niels van de Ven, “Exemplars and nudges: Combining two strategies for moral education,” *Journal of Moral Education*（2018）: 1–20（以下で読める：https://doi.org/10.1080/03057240.2017.1396966）

- 不当な差別や抑圧がどのような形を取りうるかについてのより幅広い議論（p.186）：『正義と差異の政治』アイリス・マリオン・ヤング著、飯田文雄／苅田真司／田村哲樹監訳、河村真実／山田祥子訳、法政大学出版局、2020年（Iris Marion Young, “Five Faces of Oppression,” in her *Justice and the Politics of Difference*［以下で読める：https://www.sunypress.edu/pdf/62970.pdf］）

- 「気候変動をめぐる道徳的および制度的問題について」の、私より悲観的な見解。（p.190）これが間違いだとしたら、どこがなぜ間違っているのかを解き明かすことが本当に重要だ：Stephen M. Gardiner, “A Perfect Moral Storm: Climate Change, Intergenerational Ethics and the Problem of Moral Corruption,” *Environmental Values* 15（2006）: 397–413（以下で読める：http://www.hettingern.people.cofc.edu/Environmental_Philosophy_Sp_09/Gardner_Perfect_Moral_Storm.pdf）

- 時間割引はすべて不合理だとする論証（p.196）：Preston Greene and Meghan Sullivan,

- 「煽り」の哲学を述べた、ジョークではなく明らかに実在した、アリストテレスの失われた手稿（p.126）：Rachel Barney, "〔Aristotle〕, *On Trolling," Journal of the American Philosophical Association* 2, no. 2（2016）: 1–3（以下で読める：https://philpapers.org/archive/BARAOT-9）

- 情動が「それによって発動するよう準備された」ものを表しているという考え方（p.130）：『はらわたが煮えくりかえる ── 情動の身体知覚説』ジェシー・プリンツ著、源河亨訳、勁草書房、2016 年（Jesse Prinz, *Gut Reactions: A Perceptual Theory of Emotion*）

- 自分が恋しているとどうしてわかるか（p132）：Martha Nussbaum, "Love's Knowledge," in her *Love's Knowledge: Essays on Philosophy and Literature*

- 同性愛が提起する哲学的な問いの概説（p.135）：Brent Pickett, "Homosexuality," *The Stanford Encyclopedia of Philosophy*（以下で読める：https://plato.stanford.edu/entries/homosexuality/）

- ジェンダーの形而上学についての説明（p.136）：B. R. George and R. A. Briggs, "Science Fiction Double Feature: Trans Liberation on Twin Earth"（刊行予定）

- 私たちの道徳的思考や言説を左右する会計の隠喩やその他の隠喩についてのより深い議論（p.141）：『比喩によるモラルと政治 ── 米国における保守とリベラル』ジョージ・レイコフ著、小林良彰／鍋島弘治朗訳、木鐸社、1998 年（George Lakoff, *Moral Politics*）

- 「地域の高級化とは何か」「それがもたらす害は何か」「身近にあるどのような社会問題に私たちがもっと注意を払うべきか」についての説明（p.144）：Ronald Sundstrom, *Gentrification, Integration, and Racial Equality*（刊行予定）

- 死が本人にとって悪いことではないという古典的な論証二つ（p.154）：Epicurus, "Letter to Menoeceus," in *The Essential Epicurus*, trans. Eugene O'Connor

- この論証をさらにもう少し（p.154）：『物の本質について』ルクレーティウス著、樋口勝彦訳、岩波書店、1961 年（Book 3 of Lucretius, *On the Nature of Things*, trans. Martin Ferguson Smith）

- 私が自分の死への不安に対処するのを助けてくれた、人格的自己同一性の問題へのアプローチ（今の自分と 2 歳の時の自分が同一であるのはなぜか）（p.155）：Derek Parfit, "Personal Identity," *Philosophical Review* 80, no. 1（Jan., 1971）: 3–27（以下で読める：http://home.sandiego.edu/~baber/metaphysics/readings/Parfit.PersonalIdentity.pdf）

- 私たちには死者への確固たる道徳的義務があるという考え方についての、もっとに至ったか、なぜそれが哲学的に重要なのか（p.61）：Zed Adams and Matt Teichman, "Episode 95: Zed Adams discusses the genealogy of color," *Elucidations*, April 10, 2017（以下で読める：https://lucian.uchicago.edu/blogs/elucidations/2017/04/10/episode-95-zed-adams-discusses-the-genealogy-of-color/）

- 「時間旅行の可能性」（p.65）の擁護論（時間の哲学における他の面白い問いにも踏み込んでいる）：Ted Sider, "Time," in Earl Conee and Ted Sider, *Riddles of Existence*

- 人間の本性をもっと楽観的に述べている孟子の考察の全文（p.68）：Matthew Walker, "Ancient: Mengzi（Mencius）on Human Nature," *Khan Academy*, December 26, 2014（以下で読める：https://www.khanacademy.org/partner-content/wi-phi/wiphi-history/wiphi-ancient/v/history-of-philosophy-mengzi-on-human-nature）

- 「真の自己」つまり「私たちの本心がどうであるか」についての考えに妥当な懐疑を交えた説明（p.69）：Nina Strohminger, Joshua Knobe, and George Newman, "The True Self: A psychological concept distinct from the self," *Perspectives on Psychological Science* 12（2017）: 551–60（以下で読める：http://ninastrohminger.com/papers）

- 「私たちの現実的な関心」と「幸福を研究する科学者の関心」を結びつける議論（p.76）：Anna Alexandrova, *A Philosophy for the Science of Well-Being*

- 私が本書で述べたことのもととなった、「科学と宗教の歴史的関係」の説明（p.83）：『科学と宗教――合理的自然観のパラドクス』Ｊ・Ｈ・ブルック著、田中靖夫訳、工作舎、2005年（John Hedley Brooke, *Science and Religion: Some Historical Perspectives*）

- 「幸福とは情動の状態である」（p.94）という説の擁護論（この件についての私の考えに非常に影響を与えた）：Dan Haybron, "The Nature and Significance of Happiness," in Susan David, Ilona Boniwell, and Amanda Conley Ayers, eds., *The Oxford Handbook of Happiness*

- 絶対空間の問題についての実証的かつ理論的にもっと充実した議論（p.112）：Nick Huggett and Carl Hoefer, "Absolute and Relational Theories of Space and Motion," *The Stanford Encyclopedia of Philosophy*（以下で読める：https://plato.stanford.edu/entries/spacetime-theories/）

- 「説明のしくみ」と「物事を説明することの心理的効果について」のやさしい概論（p.116）：Tania Lombrozo, "The structure and function of explanations," *Trends in Cognitive Sciences* 10, no. 10（2006）: 464–70（以下で読める：https://cognition.princeton.edu/sites/default/files/cognition/files/tics_explanation.pdf）

参考文献と推薦図書

- 「なぜ存在があるのか」(p.25)という問いへの答えになりそう(で、すべて間違っている)なものの探求:『世界はなぜ「ある」のか?——実存をめぐる科学・哲学的探索』ジム・ホルト著、寺町朋子訳、早川書房、2013年(Jim Holt, *Why Does the World Exist?*)

- 「意義ある仕事の心理」について(p.33):『なぜ働くのか』バリー・シュワルツ著、田内万里夫訳、朝日出版社、2017年(Barry Schwartz, *Why We Work*)

- 「『効果的利他主義運動』の概論」(p.33)と「『世の中で行うべき最も重要な仕事』のガイド」:https://80000hours.org を参照のこと。

- 「宇宙人の畜産業者」と「人生の意味」のつながり(p.32):『コウモリであるとはどのようなことか』トマス・ネーゲル著、永井均訳、勁草書房、1989年(Thomas Nagel, "The Absurd," *Mortal Questions*)(以下で読める:https://philosophy.as.uky.edu/sites/default/files/The%20Absurd%20-%20Thomas%20Nagel. pdf)

- 「人生が不条理であることの論証」(p.33)(一般読者向けに書かれた哲学エッセイとして私の一番のお気に入りでもある):Rivka Weinberg, "Why Life Is Absurd," *The New York Times*, January 11, 2015(以下で読める:https://opinionator.blogs.nytimes.com/2015/01/11/why-life-is-absurd/)

- 「私たちが自分の経験をよくわかっていない」という考え方(p.40):Eric Schwitzgebel, "The Unreliability of Naive Introspection," *The Philosophical Review* 117 (2008): 245–73(以下で読める:https://faculty.ucr.edu/~eschwitz/SchwitzPapers/Naive1.pdf)

- 「外界についての私たちの知識が仮説推論に基づいている」という考え方(p.42):『哲学入門』バートランド・ラッセル著、高村夏輝訳、筑摩書房、2005年(第2章)(Bertrand Russell, *The Problems of Philosophy*, chap. 2[以下で読める:https://www.wmcarey.edu/crockett/russell/ii.htm, https://www.gutenberg. org/files/5827/5827-h/5827-h.htm])

- 「子供はおおむね良い人生を送るはずだから子供を持つのは良いことだ」という論証、および「子育て一般の哲学」(p.45):Jean Kazez, *The Philosophical Parent*

- 「経営者資本主義に対抗する系譜論」の詳細な解説(p.55):Elizabeth Anderson, *Private Government*

- 色彩についての私たちの思考がどのように「主観的次元」と「客観的次元」を持つ

✣ 著者紹介

イアン・オラソフ（Ian Olasov）

ニューヨーク市立大学大学院センター非常勤教授。アメリカ哲学協会の 2017 年および 2018 年公共哲学論説コンテスト優勝。Slate Magazine、Vox Magazine、Public Seminar などの媒体に寄稿。ブルックリン・パブリック・フィロソファーズ（Brooklyn Public Philosophers［bkpp.tumblr.com］）主催。ニューヨーク市周辺のさまざまな場所で「Ask a Philosopher（哲学者だけど質問ある？）」ブースを運営。ブルックリン在住。

✣ 訳者紹介

月谷真紀（つきたに・まき）

上智大学文学部卒業。訳書に、グレース・ボニー『自分で「始めた」女たち』（海と月社）、アーリック・ボーザー『Learn Better ―― 頭の使い方が変わり、学びが深まる 6 つのステップ』（英治出版）、ネイサン・シュナイダー『ネクスト・シェア ―― ポスト資本主義を生み出す「協同」プラットフォーム』（東洋経済新報社）、マーク・ランドルフ『不可能を可能にせよ！ NETFLIX 成功の流儀』（サンマーク出版）など。

哲学者への質問

2021 年 5 月 1 日　初版印刷
2021 年 5 月 10 日　初版発行

著　者　イアン・オラソフ
訳　者　月谷真紀
発行人　植木宣隆
発行所　株式会社 サンマーク出版
東京都新宿区高田馬場 2-16-11
（電）03-5272-3166

印刷・製本　中央精版印刷株式会社

定価はカバー、帯に表示してあります。落丁、乱丁本はお取り替えいたします。

ISBN978-4-7631-3910-8　C0030
ホームページ　https://www.sunmark.co.jp

サンマーク出版の翻訳書

ロケット科学者の思考法

オザン・ヴァロル【著】／安藤貴子【訳】

四六判並製　定価＝本体 1800 円＋税

ダニエル・ピンク、アダム・グラント、セス・ゴーディン絶賛！
NASA火星探査車プロジェクトで活躍した科学者による
「大きな飛躍を実現する思考法」

[Stage1 発射]　第 1 章　不確実でも飛び立て
第 2 章　第一原理から判断する
第 3 章　思考実験で解決する
第 4 章　ムーンショット思考
[Stagc2 加速]　第 5 章　質問を変えろ！
第 6 章　方針転換の力
第 7 章　飛ぶようにテストし、テスト通りに飛ばせ
[Stage3 達成]　第 8 章　失敗は成功のもと
第 9 章　成功は失敗のもと
エピローグ——新世界

電子版は Kindle、楽天〈kobo〉等で購読できます。

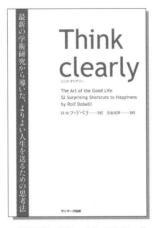